Einaudi. Stile Libero Big

C000164610

Dello stesso autore nel catalogo Einaudi

Io Khaled vendo uomini e sono innocente

Francesca Mannocchi
Bianco è il colore del danno

Einaudi

© 2021 Giulio Einaudi editore s.p.a., Torino

www.einaudi.it

ISBN 978-88-06-24717-1

Bianco è il colore del danno

alla memoria di Rita, mia nonna

e a mia madre e mio padre,
in salute e in malattia

If you tell me why the fen
appears impassable, I then
will tell you why I think that I
can get across it, if I try.

(Se mi direte perché la palude
appare insuperabile,
allora vi dirò perché io credo
di poterla passare se ci provo).

MARIANNE MOORE, *I May, I Might, I Must.*

Da bambine si gioca alle bambole, alla vita e alla morte.

Un giorno, avevo otto anni, i capelli corti e una disperazione appena sbocciata, pensai: nei miei trent'anni mi ammalerò.

E cosí è stato.

Cosa chiedi, se quel che vai cercando è una domanda?

Su come si vedono le cose (e su che cosa si pretende da esse).

LUDWIG WITTGENSTEIN, *Pensieri diversi*.

Mio nonno è morto nel luglio del 1982. Il luglio di Italia-Germania al Bernabéu di Madrid, della finale della coppa del mondo. Tre a uno, gol di Rossi, Tardelli e Altobelli. Le notti dell'Italia di Bearzot: Zoff Collovati Scirea Gentile Bergomi Cabrini Oriali Tardelli Conti Rossi Graziani. Di Pertini sugli spalti. C'erano ancora la Germania Est e la Germania Ovest, nel luglio del 1982.

Mio nonno invece non ci sarebbe stato piú.

I lamenti della vedova e dei figli si confondevano con le bandiere tricolore appese alle finestre e i caroselli.

Zoff alzava la coppa del Mundial e mio nonno moriva.

Tardelli gridava allargando le braccia a pugni stretti verso la curva, e mia madre diventava orfana.

All'inizio degli anni Duemila avevo vent'anni, dividevo il tempo tra l'università e i lavori che mi distraevano dai libri. Un call center che vendeva aggiornamenti in cd-rom all'ordine degli architetti, i turni come cameriera in un bistrot svedese nei pressi del vecchio stadio cittadino, e le ripetizioni di latino e matematica ai ragazzini dei licei del centro.

Il tempo che restava erano avanzi, preparavo un esame dopo l'altro nei ritagli di giornata. Era il prezzo per rendermi economicamente indipendente da mio padre, l'autonomia, in casa mia, si è a lungo misurata cosí, a colpi di «se te lo puoi permettere da sola».

Un pomeriggio d'inverno tornavo a casa dal turno del pranzo al bistrot, guidavo su una via consolare romana, la Cassia, la coda delle auto mi aveva incidentalmente bloccata in corrispondenza di una stazione di servizio.

Mio nonno aveva fatto il benzinaio per venticinque anni proprio lí, dove la Flaminia si incrocia con la Cassia.

Era il solo ricordo di lui che usciva dalla bocca di mia madre, ogni volta che guidava, distratta anche lei, sulla stessa strada: «Qui lavorava nonno Mario».

Mandavo quella frase a memoria, una memoria che però non m'apparteneva: «Qui lavorava nonno Mario». Non provavo nemmeno a immaginarlo. Non era un ricordo. Era un dato, che una volontà comune ma inespressa aveva trasformato in oblio.

Quel giorno, ferma in coda di fronte alla stazione di servizio, al logo verde e rosso, la scritta nera in stampatello maiuscolo su fondo bianco, istintivamente ho azionato la freccia a sinistra: – Il pieno, grazie.

Accanto alle pompe di benzina e gasolio c'era un bar, all'esterno due anziani giocavano a carte seduti ai lati opposti di un tavolo di formica.

Chissà da quanto tempo è lí, mi sono chiesta. Doveva essere molto, a giudicare dall'insegna polverosa del bar, dai suoi colori sbiaditi.

– Quant'è?

– Quaranta euro, carta o contanti?

– Carta, grazie.

Quel pomeriggio, tra un sorriso dovuto e un «grazie, arrivederci», per la prima volta ho trovato gli occhi di mio nonno.

Fino a quel momento era stato solo il segno suppellettile di una vita di passaggio, un mezzobusto sul comò di casa di mia nonna, il nero della sua vedovanza e una macchia nello sguardo di mia madre, figlia di un indomani portato via.

Orfana e madre insieme e troppo in fretta per tendere la mano in segno di tregua a un dio che considerava ingiusto.

Mio nonno fino a quel momento è stato per me l'ombra nemica del dolore di mia madre e i suoi occhi inaccessibili.

Emigrato dalle Marche a Roma, una moglie, le tasche vuote, una busta di umiltà e il cuore nato morto. Una vita d'affanni e d'affitti, di ospedali e fatica, tra le diecimila lire e il pieno del procedere degli altri.

Quel giorno alla stazione di servizio ho guardato dentro la sua assenza e ho avuto un'idea precisa di cosa sia il ricordo quando il muscolo della memoria non viene allenato. Diventa proiezione dei dolori di altri, delle loro rimozioni, del modo di sopravvivere al presente, alterando il passato, se serve, oppure congelando i fatti che resistono a diventare ricordi.

Per me, mio nonno, non era stato mai un corpo né una voce, mai una festa di Natale, una ninnananna sulle ginocchia. Niente.

Era un uomo sconosciuto. Un estraneo senza storia.

Poi, improvvisamente, un pomeriggio con la puzza di benzina che entrava dal finestrino, aperto per pagare il pieno, mi sono detta: lui doveva essere cosí.

Mio nonno si chiamava Mario ed è morto nel luglio del 1982.

Ero nata da nove mesi e lui come è vissuto – come gli umili – se n'è andato.

Per me Mario è nato quel giorno di inizio anni Duemila, nell'intervallo tra una freccia a sinistra, il pieno del mio procedere nel mondo e un «grazie e arrivederci».

Per la prima volta ho immaginato il rumore dei suoi passi, l'ho immaginato in piedi, nell'andatura sobria di chi ha vergogna e dice sempre grazie e prego, permesso e si figuri.

Liberato dalla cornice d'ottone, altare dei sopravvissuti.

L'ho pensato sorridere e pronunciare le ultime parole con la morte di fronte e sbarazzarsi degli arrivederci che restavano da sistemare prima di morire.

Ho immaginato la sua pelle consumata dalle temperature taglienti delle sei di mattina, ho inventato le mani che non gli ho mai visto sotto guanti a mezze dita, magari di lana, magari neri, magari slabbrati dal tempo, magari ricuciti da mia nonna perché non bastavano i soldi per comprarne di nuovi.

Mi sono domandata cosa fosse la storia di una famiglia, e dove fosse andato a nascondersi il passato che non era ancora diventato ricordo, che era nel limbo delle domande non fatte.

Quel pomeriggio «Com'era mio nonno?» ha smesso di essere una domanda senza futuro, quelle che restano strozzate finché il tempo non le consuma e poi c'è sempre un troppo tardi di cui pentirsi.

È diventata la spinta di una narrazione che incalzava per essere detta.

Alla memoria ricostruita e a quella da ricostruire penso spesso da allora.

Il benzinaio dove lavorava mio nonno, le quinte laboriose della processione pendolare dalle periferie sempre meno periferiche al centro città sempre piú impersonale, oggi è circondato da rivenditori di auto di lusso.

Alle sue spalle, collina Fleming, quartiere di benessere e benestanti un po' in declino, una decina di chilometri a nord c'è la periferia in cui sono cresciuta, Prima Porta, dall'altra parte della strada la clinica privata Villa Santa R.

Da tre anni e mezzo mi fermo a prendere un caffè nel bar della stazione di servizio dove lavorava mio nonno, ogni tre mesi se va male, ogni sei mesi se va bene.

Un caffè doppio in tazza grande, prima di entrare a Villa Santa R., con l'uniforme da risonanza magnetica per controllare l'evoluzione della mia malattia.

Bianco è il segnale massimo

Via tutti gli oggetti metallici. Niente orecchini, bracciali o anelli, nessuna molletta, lenti a contatto, niente ferma- gli per capelli, niente reggiseno, cinture, occhiali, prote- si dentarie mobili, chiavi, ganci, bottoni metallici, spille, niente monete, cellulari, tessere magnetiche. Meglio senza trucco e smalto, potrebbero contenere metallo.

– Ha la chiusura lampo sui pantaloni, ganci di qualsiasi genere?

– No, ho la tuta, non è la mia prima volta.

Sorrisi, sospiro.

– È in stato di gravidanza?

– No.

– Pacemaker?

– No.

– È digiuna da otto ore?

– Sí.

– Deve fare anche il mezzo di contrasto?

– Sí.

– Allergie al mezzo di contrasto?

– No.

– Ha con sé l'esame della creatinina?

– Sí, di solito è tutto a posto.

– Ha mai dato noie?

– No, può cercarmi la vena.

– Prego, firmi.

Firmo.

– È nervosa, sarà lunga, vuole un calmante?

– No, grazie, ce la faccio.

– Si sdrai.

Mi sdraio. Il radiologo mi fissa una maschera intorno alla testa per bloccarla. Sistema due pezzi di materiale spugnoso grigio ai lati opposti, vicino alle orecchie, per attutire il rumore.

– Vuole anche i tappi?

– No, grazie.

– Non si muova, mi raccomando.

– Ci provo.

– Questa è la pompetta, se sente che la claustrofobia la disturba, se ha un principio di attacco d'ansia o respira male prema la pompetta e la tiriamo fuori.

– Va bene, grazie, ce la faccio.

Sento il gadolinio, il mezzo di contrasto, che entra per via endovenosa. Serve a capire quando sono comparse le lesioni nel cervello o nel midollo spinale, a dare loro un'età, quelle che non captano il mezzo di contrasto sono piú vecchie delle altre. Un suono metallico indica che il lettino sta slittando nel macchinario, un cilindro lungo un metro e mezzo per sessanta o settanta centimetri di diametro. È l'altare della mia trimestrale risonanza encefalo, tronco encefalico, midollo cervicale, midollo dorsale con e senza mezzo di contrasto.

Chiudo gli occhi, do un ultimo sguardo alla stanza, la luce al neon sfigura le dimensioni delle pareti, il mondo è appiattito e bidimensionale. L'anestesista saluta l'infermiere, che saluta il radiologo, sorridono. Uno è seduto di fronte al macchinario, uno in piedi, un altro ancora esce chiudendosi la porta di alluminio anodizzato alle spalle.

A separare me e loro, i malati dai sani, c'è una parete trasparente. Loro possono vedermi, io non posso vedere loro, e scelgo di non vedere nient'altro. Quando il lettino fa l'ultimo scatto, chiudo gli occhi, resteranno chiusi per un'ora. È il solo modo che ho di sfidare la claustrofobia. Sono stesa, orizzontale tra due magneti. Ho le mani lungo i fianchi. La voce dall'altra parte della stanza, quella dei sani, dice: «Cerchi di deglutire il meno possibile altrimenti dobbiamo ricominciare». Chiedo a entrambe le palpebre l'impegno a non distrarsi e restare chiuse, appiccicate al bulbo oculare, e provo a non deglutire. La risonanza funziona come una calamita: misura come reagiscono i tessuti in un campo magnetico molto forte, quelle reazioni diventano immagini del corpo. Le onde risuonano sotto forma di segnali, deboli, la lingua del magnete e i segnali, quando vengono captati, diventano una mappa di impulsi in scala di grigi.

Nero è assenza di segnale. Bianco è segnale massimo.

Le mie lesioni sono bianche e la mappa in scala di grigi è la vita della malattia, il suo stare, il suo evolversi, dentro di me, potenzialmente degenerativo. Ma non ci penso, ho le palpebre serrate, la saliva si accumula in bocca, le braccia lungo i fianchi in un orizzontale sull'attenti, la coperta di pile bianco sporco sulle gambe, i piedi nudi in direzione dei sani. Non ci penso, che può diventare degenerativa. Mi concentro sulle vibrazioni sonore della risonanza. La macchina fa microrumori, un picchiettare costante, colpi di martelletto che accelerano, rallentano e accelerano ancora, poi si irrobustiscono, e battono forte, come il colpo di un tamburo a pedale. Non sono nel tubo, ho ventitré anni, sono le due di mattina, sul palco i Lali Puna sotto il palco io, sto ballando, sono vicina alla cassa, sento i bassi vibrare sotto i piedi, i colpi della batteria che dettano il

tempo, e chiudo gli occhi. Il campionatore distorce la voce di Valerie Trebeljahr, lei balbetta, esita, il campionatore ripete. Lei balbetta, esita, il campionatore ripete. Io
ballo. Ho ventitre anni. *Faking the Books*.

Le bobine dei magneti si espandono e si contraggono e
poi si espandono e si contraggono ancora, e vibrano sempre
piú forte, generano un rumore costante, un arpeggio che
cambia cadenza e intensità in base ai nervi che la macchina sta scansionando. Quando cambiano suoni e intervalli
capisco dove i sani stanno spostando lo sguardo.

Martello. Martello. Cervicale.

Tamburo. Martello. Tamburo. Encefalo.

Le vibrazioni del tubo magnetico sono il campionamen-
to della mia malattia, me lo ripeto ogni volta, immobile,
stesa orizzontale e sull'attenti, la testa in una maschera,
la spugna intorno alle orecchie, un ago infilato nel braccio destro, la pompetta chiusa nel palmo della mano, loro
scansionano, tamburo martello tamburo ma io non sono
lí, io continuo a ballare vicino alla cassa, con i bassi sotto i
piedi e gli occhi chiusi. Risuonano i tessuti, cioè risuono io.

Sorrido di loro, dei sani, e rido di me. Risuono magnetica in un corpo malato.

Identikit

Taccuino dell'*ora-so*.
Novembre 2018.
Ora so che non devo ostinarmi a chiedere le cause. La risposta
è sempre: non è noto.

Ho una malattia neurologica cronica. Sono una donna
di trentanove anni malata di sclerosi multipla.
La medicina la definisce una malattia potenzialmente
disabilitante del cervello e del midollo spinale, il sistema
nervoso centrale per intenderci.
E aggiunge, la medicina, che nel mio caso la malattia è
recidivante remittente.
Significa che i sintomi a volte peggiorano (le fasi recidive) a volte dànno tregua (le fasi remittenti).
Quindi ho una malattia neurologica che si chiama sclerosi multipla recidivante remittente ma nessuno sa prevedere se e quando sarà tempo di recidive o di remittenze.
Cioè nessuno sa se stiano per arrivare improvvise ricadute e se, nel momento in cui arriveranno, la tregua, cioè
l'assenza di sintomi, sarà lunga un giorno, una settimana
o dieci anni.
Perciò, nell'espressione: «malattia potenzialmente debi-
litante del cervello e del midollo spinale», la parola chiave
è *potenzialmente*.
Il peggioramento è potenziale, la stabilizzazione è potenziale. L'immobilità è potenziale, la cecità lo è.

Dunque, dal primo giorno, ho stabilito che anche la paura sarebbe stata potenziale.

La coperta delle mie fibre nervose, la corazza che le proteggge, si chiama mielina, è una membrana biancastra che isola gli assoni dei neuroni e lascia viaggiare in sicurezza gli stimoli nervosi. Sta lí, il corpo la conosce, ne rispetta la funzione conservativa e protettiva. Poi a un certo punto può succedere che il sistema immunitario, che in condizioni normali difende l'organismo da agenti esterni, si alteri. E le risorse che aveva per proteggerlo non funzionano piú, diventano autoaggressive, attaccano la mielina, la distruggono poco a poco, fino a condannare a morte la cellula nervosa.

La sclerosi multipla, dunque, è una patologia autoimmune. Significa che il corpo diventa nemico di sé stesso.

Nessuno, ancora, sa perché.

Ho una scatola piena di *come se* e la apro ogni volta che ho bisogno di una similitudine per mediare l'esperienza della malattia.

È *come se* nel gioco del telefono senza fili si perdessero i pezzi della frase bisbigliata all'orecchio dal primo all'ultimo ragazzino della fila.

«Muoviti, mano, e gratta la spalla» diventa: «Stai dritta, Cecilia, ti tiro la palla». Cosí accade che lo stimolo parte dal sistema nervoso per dire alla mano di muoversi ma non arriva mai, o arriva distorto. E la mano perde sensibilità, oppure non si muove.

È *come se* il sistema nervoso fosse un cavo elettrico coperto da un rivestimento isolante, la guaina protettiva. Quando il rivestimento viene danneggiato il filo si scopre, e la trasmissione del messaggio, in quel caso l'elettricità, è imprevedibile.

Nessuno può sapere se premendo il dito sull'interruttore la luce si accenderà oppure no.

Ho imparato che si può dire anche cosí: la sclerosi multipla è una malattia autoimmune cronico-degenerativa che può essere ingravescente e colpisce il sistema nervoso centrale. Qui la parola chiave è *ingravescente*: «di situazione patologica che si aggrava progressivamente».
Si può aggravare. E progressivamente.
La parola ingravescente contiene i tre assi del tempo, c'è il prima, in cui non eravamo malati. È lí che cerchiamo le cause, gli indizi, gli avvenimenti che ci avevano ingannato. C'è il presente della malattia che esige classificazione, precisione e immediatezza. E poi c'è il futuro della cura, del tornare – questo pensa il paziente – a *come era prima*.
Ma quando diventi un malato cronico, il *come era prima* non esiste piú. Sei contemporaneamente nei tre punti del tempo, nel passato, nel presente, e nel futuro, sei *ingravescente*.

Ci sono casi fortunati, dice la scienza per sollevarti dal destino, in cui la malattia si presenta con un'unica manifestazione violenta e poi piú niente, la sindrome neurologica clinicamente isolata. Arriva senza preavviso, entra senza bussare, poi torna da dove era venuta. Esistono, certo, casi simili, ma di solito al primo episodio ne segue un altro. Dopo un mese, una settimana, un anno. Un sintomo di natura simile o differente. E tu sei lí, sempre impreparata. La *mia* forma della malattia è la piú comune, come me l'85 per cento dei casi.
Ho un quaderno, il taccuino dei miei *Ora-So*, dal 2017 ci appunto dati e statistiche, aggiornamenti annuali, differenze per regione, costi e benefici.

Maggio 2017.

Le donne si ammalano due volte piú degli uomini.

La sclerosi multipla è la seconda piú comune causa di disabilità neurologica nei giovani adulti, ci si ammala a qualsiasi età, ma in genere la sclerosi multipla bussa tra i venti e i quarant'anni e dunque io sono perfettamente nella media.

Sono un caso come tanti.

5 giugno 2017.

L'evoluzione della SM recidivante remittente è la forma secondariamente progressiva. C'è un'altra forma, grave, la primariamente progressiva. Le funzioni neurologiche peggiorano dalla comparsa dei primi sintomi anche in assenza di vere e proprie ricadute e remissioni.

Il 15 per cento delle persone con sclerosi multipla ha una forma primariamente progressiva.

In Italia complessivamente siamo 118000. Ci sono 3400 nuovi casi l'anno.

Ora so che io sono una dei 3400 di quattro anni fa.

Ma il primo giorno non sapevo niente.

Non sapevo che non si può prevedere quando si sveglierà il corpo nemico a rompere la guaina e disintegrare il messaggio che viaggiava sul filo dell'elettricità, o di bocca in bocca, un orecchio dopo l'altro al gioco del telefono senza fili.

Né sapevo com'è che comincia.

Ora so che può presentarsi con l'intorpidimento degli arti, con la perdita parziale o totale della vista, di solito un occhio alla volta, a volte con dolore durante il movimento oculare, oppure con formicolio e sensazioni di scosse elettriche, spesso sul collo. O tremori e andatura instabile. Oppure vertigine. Fatica. E incontinenza. C'è chi si accorge di essere malato perché un giorno si sveglia cieco. Chi smette di deglutire, e chi comincia a trascinare una

gamba e smette di camminare. C'è chi comincia a biasci-
care. Perde parole e ricordi.

Io me ne sono accorta perché una mattina di primavera
mi sono svegliata con metà del corpo che non mi rispondeva piú.

Il solito, grazie

Quando atterro a Erbil, in Iraq, il mio amico Karwan mi aspetta in aeroporto.

– Dove vuoi dormire? – mi chiede salendo in macchina.

Al solito posto.

Il solito posto iracheno è il *Fareeq*, un motel economico del quartiere cristiano. All'ingresso, dietro la scrivania della reception, una croce e Murad, il proprietario seduto su una poltrona bianca.

– Bentornata!

– Grazie, bello vederti.

Murad è un uomo di grossa stazza sui quarant'anni, ha una moglie e un figlio che vorrebbe far battezzare dal papa ma non sa come. Il fatto che io viva a Roma gli sembra sufficiente per chiedermi una mano. Ogni tentativo di spiegare che non so proprio come aiutarlo è stato vano, dunque insiste. Con la guerra nella vicina Mosul e l'arrivo dei giornalisti da tutto il mondo, si è arricchito e ha comprato un grande televisore al plasma. Dice che impreziosisce l'entrata. Non lo spegne mai. Le stanze, invece, sono rimaste sciatte.

Riserva a me e Alessio sempre la stessa, al quarto piano. Due lettini con le doghe consumate che gracchiano a ogni movimento, separati da un tappeto rosso a pelo corto. La finestra affaccia sulla rotonda stradale, a sinistra c'è un negozio di statue mariane, a destra un fornaio.

L'odore di pane caldo sale fino alle stanze dalle prime ore del mattino. Per colazione Murad sistema i datteri al centro del tavolo, intorno un piatto con le olive, uno con il formaggio fresco, e un cestino con il pane del fornaio di fronte.

– Caffè sempre senza zucchero, vero?

– Sí, Murad, grazie.

Avere un solito posto dove andare è il piacere di un'abitudine che si rinnova. So dove cercare gli asciugamani e le lenzuola pulite, gli altri sanno cosa mangio e cosa bevo, so dove comprare il sapone se manca e quale pulsante accende e spegne il riscaldamento. Una consuetudine che mi fa sentire a casa negli angoli piú sperduti del mondo.

A Tripoli è lo stesso. Scendo dall'aereo, Husen mi aspetta dall'altro lato delle transenne con i permessi del ministero dell'Interno libico, aspettiamo un'ora al controllo documenti con gli uomini del mukhabarat, i servizi segreti.

Husen domanda: – Dove ti porto? – E io rispondo: – Al solito posto.

Il solito posto di Tripoli è l'hotel *Victoria*, nel quartiere di Al Dahra. All'ultimo piano una terrazza circonda l'edificio a trecentosessanta gradi. Mi piace aspettare l'alba lassú, nella sala ristorante ancora senza la colazione sui tavoli e senza il tintinnio delle tazzine. Quando fa giorno la luce illumina il vecchio porto dei pescatori, la base della Marina, e i palazzi in costruzione con le gru tutt'intorno fermi al 2010, prima della rivoluzione.

Alle sette si apre la porta dell'ascensore, esce un cameriere, lo riconosco, mi riconosce.

– Bentornata.

– Grazie.

– Il solito caffè?

– Sí, il solito caffè.

Ho consuetudine con il suono della preghiera, posso prevedere la disposizione dei cetrioli e dei pomodori sul piatto di ceramica ovale, conosco l'odore della zuppa di lenticchie e curcuma tenuta al caldo sul fornello. Mi sento a casa. Tutto mi è familiare.

A Palermo invece no. Di familiare non c'era niente.

Ero arrivata a Punta Raisi, l'aeroporto cittadino, un fine settimana di marzo. La strada che porta in città era trafficata e rumorosa. Mi aspettava P., un'amica di New York. Lavorava per le Nazioni Unite, era in Italia per intervistare minorenni arrivati dalla Libia da soli e ragazzine vittime di tratta sessuale. Mi aiuti? Lavori con me una settimana? Volentieri.

Cosí ero volata in Sicilia.

L'ufficio delle Nazioni Unite, da New York, aveva prenotato una stanza anche per me, in un hotel del centro di Palermo. Sul sito si leggeva: «stile contemporaneo, mobili con geometrie ispirate agli anni Ottanta». Potevo decodificare facilmente il messaggio, la vita nomade degli ultimi anni mi ha allenata al disinganno sugli alberghi. Geometrie ispirate agli anni Ottanta significava «non ristrutturiamo l'edificio da quarant'anni».

La mia stanza era a un piano alto, spaziosa. Il letto, l'armadio bombato e il comodino, anch'esso bombato, erano laccati bianco lucido, con le maniglie di ottone ma finto. Quelle camere da letto che nei cataloghi dei mobilifici di solito hanno un nome di donna, Rebecca, Sofia, i piú sofisticati si spingono a chiamarli Danae o aggiungono un'acca, Martha, cosí sembra piú chic.

Ricordavano i cataloghi del negozio di mobili di mio padre, e i rappresentanti che ripetevano senza troppa con-

vinzione parole come décapé, aggiungendo a mo' di spiega-
zione per chi non avesse familiarità con le lingue: elegante trasandato. Era il modo di vendere ai poveri la vernice
acrilica sul truciolato e mascherare oggetti di scarso valore
commerciale simulando raffinatezza.
Chissà come si chiamava quel modello lí, mi sono chiesta una sera, prima di addormentarmi.
Forse Gemma. Ma sí, Gemma le sta bene. Poi ho chiuso gli occhi.

Mi tocco la gamba. Non la sento. Mi tocco il piede. Non
lo sento. Mi tocco il braccio. Pizzica. L'ascella. Non la sen-
to. Il collo. Il collo sí, lo sento. La testa. La testa anche.
Dormi, Francesca.
Dove sono? Palermo.
Perché sono qui? Sto lavorando.
Che giorno è? Martedí.

Apro gli occhi, la luce entra dalla finestra di fronte al
letto. Mi guardo intorno. Su una parete un quadro ripro-
duce due putti, nella disposizione classica: uno col mento appoggiato al braccio sinistro, l'altro a braccia conserte con gli occhi al cielo. Il putto con lo sguardo puntato
in alto ha la guancia sproporzionata rispetto al volto. La
cornice è dorata.
Mi sono svegliata sotto l'occhio dei putti deformi e sopra lenzuola coi fiorellini lavanda il giorno che il sistema
nervoso ha interrotto le comunicazioni con la parte destra
del mio corpo. Oggi che lo scrivo fa sorridere.
Potessimo scegliere gli elementi scenografici dei giorni
chiave della nostra vita li disegneremmo epici o, al contrario, minimalisti. La casa sul mare a Raf Raf, in Tuni-
sia, con gli scuri che sbattono e il mare che agonizza a cin-

quanta passi. O la brandina della stanza di Kabul, e il gelo intorno nelle mura che non si scaldavano mai. Se devono essere lontano da casa, i giorni chiave, che siano almeno popolati da un'abitudine, in un posto familiare, con qualcuno cui chiedere: il solito, grazie. Mi tocco la gamba. Non la sento. Mi tocco il piede. Non lo sento. Mi tocco il braccio, l'ascella, il polso, ogni dito della mano destra e non sento niente.

La mia vita con la sclerosi multipla è cominciata cosí, senza che lo sapessi, in una stanza laccata bianca che avevo chiamato Gemma.

Non provavo niente.

La paura era un'intuizione. Un allarme che arrivava sotto forma di visioni sfocate. Sveglia, ho pensato a mio figlio: chissà se ha mangiato. E poi ad Alessio: chissà se è già sveglio.

Non capivo, eppure non provavo niente.

Non sapevo cosa fare ma non provavo niente.

Passerà. Alzati, fatti una doccia, diceva la voce della cautela.

Cosí sono scivolata sul lato che non rispondeva, col braccio ancora scattante ho afferrato la coscia destra, l'ho reclinata e ho fatto forza sulla schiena per sedermi sul bordo del materasso. Ho poggiato i piedi a terra e li ho osservati, uno mi apparteneva ancora, il destro era di qualcun altro.

Ogni tentativo di spostare la forza sul tallone si traduceva in solletico, era tragico e comico insieme.

La gamba era addormentata, l'unica reazione nota, il pizzicore, come i giochi sul letto da bambina, le dita di mia madre sotto le ascelle. Dovrei ridere, pensavo. Eppure.

Sono rimasta ferma, seduta sul bordo del letto, a guardarmi i piedi. La paura era simile al suono di un'esplosione lontana. Tremavo, ma ancora non riguardava me direttamente.

La logica mi suggeriva prudenza, l'eco della prima profezia ripeteva: nei miei trent'anni mi ammalerò.

E cosí è stato.

Il piano inclinato

Ho spento il telefono e poi riacceso e poi spento di nuovo e poi riacceso, nell'altalenare nevrotico tra il bisogno di sparire e l'urgenza di essere cercati.

Ho chiamato la mia amica P. che mi aspettava per le interviste del mattino. «Non mi sento bene, non posso venire al centro d'accoglienza stamattina. Ti aggiorno piú tardi, sí, qualche linea di febbre, no, non ci voleva. Mi dispiace».

Mi sono congedata, ho spento di nuovo il telefono.

Sono rimasta sdraiata nel letto laccato bianco di Palermo alcune ore.

Ho mangiato i biscotti del frigo bar, bevuto una bibita gassata e dormito senza sognare. Almeno cosí ricordo. La parte destra del corpo era diventata un fascio di stimoli intermittenti.

La spalla insensibile. Il piede formicolante. La mano intorpidita.

Ho pensato: non posso guidare, non riesco a tenere il tallone a terra.

Tutti gli impulsi erano irregolari, scanditi da scosse elettriche che mi attraversavano il collo e scorrevano lungo la schiena.

Passerà.

Sarà sovraffaticamento. Forse sei tesa.

La voce prudente mi ammoniva: sei appena tornata da Tripoli, vai, torni, atterri, corri a casa, baci tuo figlio, disfi le valigie, cominci a pensare a cosa devi scrivere e i video da montare, e le scadenze. E scrivi, monti, sbobini, editi, consegni e ripeti. Scrivi, monti, sbobini, editi, consegni, riparti. Cioè scappi.

Scappo? Sí, scappi – diceva la voce – non lo vedi che scappi?

Stai zitta, voce.

E tu, non lo vedi che non sento la parte destra del corpo? Ho un crollo nervoso, è evidente. Lasciami perdere. Sarà stanchezza.

La voce ha detto: se lo dici te.

Mi sono fermata a guardare le case degli altri al di là della tenda, opaca, che forse vent'anni prima era bianca. Il tempo l'aveva ingiallita come una fotografia dimenticata al sole, un ricordo andato a male.

Il letto era parallelo alla finestra, davanti ai vetri la scrivania e, sulla scrivania, una cartellina plastificata col logo dell'hotel. La plastica luccicava come i mobili laccati bianchi, e, dentro la cartellina, un mucchietto di fogli ordinati scrupolosamente, carta da lettere, buste e una penna. Tutto bianco, tutto marchiato con lo stemma dell'hotel. Mi sono chiesta se qualcuno scrivesse ancora delle lettere, e se le scrivesse a mano. E perché resistano delle consuetudini quando il tempo le ha rese fuori moda. Se serva, non so, al proprietario dell'hotel per immaginare che il calendario sia inchiodato a quattro decenni fa, come i putti appesi alla parete. Se la conservazione di ciò che è inattuale faccia della realtà per come l'abbiamo sempre conosciuta una compagnia che non disturba, un venticello che non diventa mai tempesta. Ingiallisce, come le tende di quella stanza, annoia forse, ma non minaccia.

Ho immaginato la grafia dell'ultima persona che aveva abitato quella stanza, domandandomi se le sue *f* fossero allungate o deformate, se avesse scritto su quei fogli in stampatello o corsivo, con una penna o una matita. Io, per dire, preferisco le matite. Mina morbida, grafite che scivola sul foglio e riempie i pori. Mi piacciono i fogli ruvidi, e i temperini.

Ho avuto voglia di scrivere a mio figlio, lo faccio spesso.

Ho tirato fuori l'astuccio dalla borsa, con la biro, le matite e il temperino, ho aperto la cartellina plastificata, sfilato il primo foglio che era sgualcito sul lato inferiore destro, forse qualcuno aveva pensato di scrivere, l'ha estratto, non è riuscito a scrivere e l'ha rimesso a posto, e io non volevo certo scrivere sullo spazio bianco che aveva ospitato l'intenzione di un altro, ho preso il secondo foglio, che non era sgualcito, e ho realizzato che non sarei riuscita a scrivere.

La spalla, il gomito, l'avambraccio destro dormivano. La mano formicolava. L'anulare e il mignolo non rispondevano.

– Sei tesa? – diceva la voce. – Guarda che faccia che hai.
– Non particolarmente, in verità.
– Se ti dico fermati, cosa dici?
– Come, scusa?

Seduta alla scrivania osservavo una signora robusta, al secondo piano della casa di fronte, mentre stendeva il bucato al filo appeso alla ringhiera: lenzuola matrimoniali, quattro federe, biancheria e tovaglioli.

Ho pensato: oggi ha fatto il bianco.

Diceva cosí, mia nonna Rita, quando divideva i panni da lavare: «Oggi faccio il bianco».

L'aiutavo a stendere e quando guardavo il balcone, dal piano di sotto, le lenzuola mosse dal vento parevano onde. Davanti al balcone, alta e imperturbabile, una magnolia.

Piú di tutto mi piaceva aiutarla a piegare. C'era, nel suo insegnarmi a maneggiare gli angoli, la perizia dei gesti semplici. «Si deve cominciare dai bordi, – diceva mia nonna, – infila gli angoli, se non prendi bene i bordi delle cose non si piegheranno, se non si piegano non saranno mai ordinate».

Mi invitava a indietreggiare per distendere il piú possibile il lenzuolo «indietro, indietro, ancora di piú, prendi l'angolo destro, stendi quello a sinistra, allarga, allarga ancora, piú lo allarghi mentre lo pieghi e meno avrai bisogno di stirarlo».

Ho snodato il filo del telefono bianco opaco sul comodino, chiamato la reception e chiesto un caffè doppio. In tazza grande, per favore, e dell'acqua, grazie.

Ho riacceso il telefono.

Sms, Mamma: «Ehi, tutto bene?»

Sms, Alessio: «Buongiorno, te».

Poi, improvvisamente, ho desiderato sparire. L'ho desiderato come quando sento le alterazioni del battito del cuore e il corpo diventa un congegno che appartiene a un altro mondo.

La pallina è ferma sul punto piú alto del piano inclinato. Se la mollo cade, e cade velocemente.

Ho passato la mano sinistra sulla fronte, asciugato le gocce di sudore freddo che annunciano il panico. La pallina stava per cadere.

Le lenzuola dall'altra parte della finestra sembravano onde come nei ricordi di bambina, le lenzuola di mia nonna, la liturgia della cura.

Allarga, allarga, piú allarghi piú è facile ordinare.

Un respiro lento, poi un altro. Allarga, Francesca.

Le parole di mia nonna sono diventate un codice di con-
dotta. Allarga, la pallina sta per cadere dal piano inclinato.
Allarga il respiro. Prendilo ai bordi. Mantieni la calma sul
margine. Se la tieni sul margine la vedi e la contieni. Piú
allarghi la paura quando la riconosci, piú è facile piegarla
e metterla via.

Poi qualcuno ha bussato alla porta. Era il caffè doppio
in tazza grande.

Ho trascinato i passi fino alla porta, ho preso il caffè,
ringraziato il cameriere e chiesto un taxi, cortesemente,
per la mattina dopo, non piú tardi delle sette. Ho chiuso la
porta, bevuto il caffè, anticipato il biglietto di rientro per
Roma, la mattina successiva, partenza da Punta Raisi poco dopo le otto, arrivo a Fiumicino alle nove e un quarto.

Avevo trattenuto la pallina. Allarga, respira.

– Quando è stata l'ultima volta che la pallina è caduta
dal piano inclinato? – ha chiesto la voce.

– Mentre tornavo a casa, dopo aver partorito.

Diario
Dicembre 2016

Pietro,

mi dormi accanto, è primo pomeriggio. Non so quanto durerà la tregua del tuo sonno e della tua sazietà. La finestra della camera, alla destra del letto, è aperta, la palma nel giardino condominiale è la prima cosa che vedo da che vivo qui.

Non c'eri tu, non c'era ancora tuo padre. La prima volta che sono entrata in questa casa è stata la luce a farmi innamorare, arriva dai due lati, dalla corte interna e dalla strada della chiesa.

Il pavimento di cotto, marrone chiaro, era stato lucidato da poco. Le pareti carteggiate e pitturate d'ocra erano asciutte ma l'odore era rimasto lí, forse a fare un dispetto ai visitatori. La luce della casa di via Giordano Bruno era il vestito della festa, la mia. Avevo lasciato un'altra casa e una relazione che mi avevano resa infelice e lenta. Volevo essere selvatica e sola, cercavo una tana e l'avevo trovata.

L'agente immobiliare chiese: «Vuole che apra le finestre, per far uscire l'odore di vernice?»

Risposi: «No, ma vorrei la casa».

Non c'eri tu e non c'era ancora tuo padre.

Sarebbero passati tre anni prima di lui, quattro prima di te.

Ho capito che c'eri davvero mentre spingevo la carrozzina sulla strada che dalla clinica in cui sei nato porta a casa nostra.

Avevo partorito da due giorni, ero in piedi, sorridevo. Volevo tornare nella tana passeggiando, vanitosa e fiera. Fermarmi a scegliere un mazzo di tulipani, il mio omaggio a un parto semplice.

Avevo partorito da due giorni, avrei camminato, e mi sarei fermata da Omar, il fioraio egiziano che sorride tanto e beve troppo e mi lascia sempre da parte le calle, quando le ha, e avrei proseguito cento metri in direzione del bar sotto casa.

Una spremuta d'arancia con due cubetti di ghiaccio a parte. Com'è bello, signora. Sí, lo è, grazie. E rispondere sorrisi ai sorrisi che mi venivano incontro nel nuovo spazio sociale che riserva la posizione di madre.

Ce la faccio, posso farcela, mi sono detta, e lo farò.

Mentre adempivo alle tappe di questa processione mi sei apparso per la prima volta come un altro. Un vero altro sdraiato nella carrozzina blu che spingevo meccanicamente, e piú la spingevo piú i tuoi ninnoli tintinnavano.

C'era un elemento di disturbo in quel tintinnio che non mettevo a fuoco.

Tu, tuo padre e io, procedevamo a passi lenti verso casa, pensavo: tintinnano.

L'unica altra parola che conosca che contiene tutte queste *t* e *n* è tintinnabuli. Ho pensato ad Arvo Pärt. Non ricordavo l'ultima volta che avevo avuto tempo e spazio per essere sola ad ascoltare *Spiegel im Spiegel* a occhi chiusi. I tuoi ninnoli tintinnavano sempre piú forte. Mi è mancata l'aria, e ti ho visto.

Avevi la forma dell'accudimento che ti avrei dovuto per sempre.

Da quella notte ho smesso di dormire.

Non per allattarti, non ti ho allattato, Pietro.

Ho smesso di dormire perché non sapevo che fare con un altro essere umano nel nostro letto. Né dove mettere lo spazio che avevi già sottratto a tutto.

Nel primo mese della tua vita ho imparato a tirarmi il latte dal seno, congelarlo affinché tuo padre di notte ti nutrisse al posto mio, poi ho capito che non volevo essere dipendente da questo nutrimento e ho messo via gli unguenti, le tettarelle, le macchine artificiali che cavavano dal mio seno il santo latte di novella madre.

Mi sono imposta di non assecondare aspettative altrui e smettendo di nutrirti ho smesso di riposare.

Nei primi venti giorni della tua vita ho imparato a memoria i graffi del tempo sui muri di casa e l'ordine dei libri sugli scaffali. So che ombre genera la luce dell'ingresso quando accendo l'abat-jour alle tre, alle quattro o alle cinque e alle sei del mattino. Ho dato un nome alle sfumature della luce dell'alba quando dalla finestra della cucina va a sbattere sul cobalto delle maioliche. So a che ora il prete apre il portone della chiesa dall'altro lato della strada e so che apre prima la metà sinistra e poi quella destra della porta e appoggia due grandi vasi di gerani ai lati.

Posso prevedere l'ordine degli anziani che arriveranno a pregare (forse) e ho imparato chi lascia l'elemosina al giovane che staziona ogni giorno sugli scalini e chi al contrario lo evita.

Ho familiarizzato con i rumori del piano di sopra, con l'insonnia notturna della signora Lina, la piú anziana della scala.

Lina è sveglia come me alle tre, alle quattro e alle cinque, prova a vincere la paura di morire con il volume troppo alto della televisione. Quando la incontro per le scale, fingo che non disturbi e non le busso mai per chiedere di essere risparmiata dal volume della tv.

È la nostra tregua. Almeno quella delle nostre insonnie. La mia si nutre di silenzio, la sua di rumore.

Nel tuo primo mese di vita ho imparato cosa significhi il tempo quando non ti appartiene piú, quando diventa un breve intervallo tra i bisogni di un altro che dipende da te. Casa nostra è stata abitata dalla mistica delle nonne e delle amiche già madri, un mondo color pastello dove si parla in falsetto di asili nido, coliche renali e strategie per quietare pianti notturni e inconsolabili.

Non ricordo una conversazione non condita da diminutivi e superlativi assoluti.

Vestitini bellissimi, manine graziosissime, occhietti carinissimi.

In questo mondo in cui ogni parola è la sua versione ridotta, ho cominciato a sentirmi sola.

Cosí un giorno, tu eri nato da un mese e mezzo o giú di lí, ho lavato i biberon, preparato la borsa con le tue cose per portarti da mia madre e ho fatto un biglietto aereo per Erbil, Iraq settentrionale.

Era iniziata la guerra di liberazione di Mosul dall'Isis. Sono partita.

Il resto è una resa dei conti.

Le madri che affollavano la stanza della clinica hanno sostituito i diminutivi con la morale, puerpera indegna, egoista, sarai cacciata dalla comunità delle bravemadri.

Queste comunità, lo imparerai presto, caro Pietro, hanno regole inflessibili, e se le discuti, se dissenti e polemizzi, la tua autonomia verrà scambiata per narcisismo e i tuoi desideri per vanità.

E cosí sono partita con tuo padre, tre macchine fotografiche, un taccuino, le matite e il tiralatte, perché avevo la montata lattea e dovevo evitare ingorghi e mastiti.

La sera quando tornavamo da Mosul, dopo la doccia, mi attaccavo la tettarella al seno e aspettavo che nel tubo di plastica passasse il latte fino a riempire i duecentocinquanta millilitri della base.

È andata avanti per qualche giorno. Poi il latte è diminuito. Infine ha smesso di uscire. Di tanto in tanto la maglietta si bagnava, non sistemavo piú le coppette o i dischi di ovatta sui capezzoli e capitava che mi ritrovassi la maglietta con l'alone biancastro all'altezza del seno. Poi è arrivata l'ora di tornare a casa. Ho fatto la valigia, cancellato dalla rubrica del telefono i numeri di tanti, ma soprattutto di tante, che mi pensavano ormai madre degenere, narcisista senza speranza, egoista irredimibile. E ho preso un volo da Erbil a Istanbul, uno da Istanbul a Fiumicino, e sono tornata.

Sono stata egoista Pietro, è vero.

Ma mentre rimettevo in ordine gli appunti, la sera, sulla scrivania della stanza umida e caldissima del quartiere cristiano di Erbil, mi sentivo a casa.

Nel nostro appartamento pieno di luce, con la palma a dare il benvenuto al giorno tutti i giorni ero diventata straniera.

Quando sono tornata a Roma, i verdetti di colpevolezza mi attendevano sulla porta insieme agli indici puntati di chi sapeva cosa fosse giusto per me e per te.

Ho disfatto la valigia, mi sono seduta accanto a te che dormivi e ti ho detto che l'identità, amore mio, è una faccenda complessa, che cercarsi può diventare una condanna a vita.

Tu, nel sonno, hai sorriso, o almeno ho voluto pensare che lo facessi.

Appena sveglio mi hai stretto l'indice della mano destra tra le dita rugose.

Forse l'amore è cosí, mi sono detta, arriva, sorride, poi ti vuole trattenere a sé.

Se aiuti ti aiuteranno

La tibia di mia nonna Rita sporgeva fuori dalla gamba. La chiamava la gamba brutta.

Si era ammalata negli anni Trenta, la sua famiglia di pecorai viveva nelle Marche, nelle campagne intorno al paese piú vicino, Tolentino.

Rita aveva otto anni, ne restavano ancora due di scuola. Imparare a leggere e scrivere sarebbe stata la sua sola educazione scolastica.

La malattia, scoprí poi, si chiama osteomielite.

Il midollo è infettato da germi che arrivano all'osso, lo infiammano e lo ingrossano fino a farlo diventare una zona tondeggiante e purulenta.

A lei toccò l'osso della gamba.

Cosí a otto anni saliva sull'asino con la gamba fasciata insieme a sua madre per raggiungere il dottore in paese e farsi medicare le ferite da cui usciva pus.

Non ne parlava mai, diceva soltanto che la malattia le accorciava le dita e sua nonna le piazzava una tavola di legno legata sul piede disteso per non farle ritirare.

Da bambina la accarezzavo, lei non provava vergogna, aveva un pudore gentile nel lasciarmi avvicinare alla gamba brutta. Diceva solo: «Attenta a non farmi male». Io mi sedevo a terra e facevo attenzione all'osso sporgente. Lo guardavo e ogni tanto le davo una carezza.

Crescendo, ho cominciato a pensare alla sua gamba ne-
crotizzata come il segno del passo lento della sua vita, il suo
destino zoppo. È con la gamba consumata e claudicante
che è arrivata a Roma, ospitata da una coppia di zii fattori
in un'azienda agricola, per il giubileo del 1950. Mio nonno faceva il vaccaro nella fattoria adiacente. «Ho conosciuto un ragazzo tanto bello», disse Rita al rientro nelle
Marche. Dopo poco si sposarono, con le tasche vuote, un
cuore malato – quello di lui – una gamba brutta – quella
di lei – e misero su famiglia.

Portarono nella stanza della fattoria in cui lavorava
nonno un corredo e pochi risparmi. Lei passava le giornate dando una mano in casa ai contadini della fattoria,
lui faceva la guardia alle stalle. Le giornate passavano tra
l'odore di sterco e la fatica. Nella stanza si tornava solo
a dormire.

Poi un piccolo salto in avanti, nonno ha cominciato a
lavorare in una cava, la paga era migliore, crescevano un
po' i risparmi ma si aggravava la malattia al cuore.

Si trasferirono in una casa, nel quartiere che oggi è un
pezzo della periferia nord di Roma, e allora, a metà degli
anni Cinquanta, era il dormitorio degli emigrati dal Centro-
sud. Qualcuno dormiva nelle baracche, qualcuno mattone
dopo mattone costruiva un piano e poi un altro, piani diventati centinaia di palazzine che hanno reso le colline a nord
di Roma lo scomposto mucchio di cemento che sono ora.

Mio nonno e mia nonna vivevano in un pianterreno di
due stanze, una per loro e una per i figli. Il bagno erano
un water e un lavandino. Per lavarsi tutti interi scaldavano l'acqua in una bagnarola.

Quando il cuore guasto di mio nonno è peggiorato, mia
nonna ha cominciato a lavorare di piú. Prima al lavatoio, a
fare il bucato ai panni sporchi altrui. I sacchi di iuta sulle

spalle coi nastrini colorati per non confondere i proprietari dei vestiti, la tavola di legno e per strofinare il ranno, un miscuglio di cenere e acqua bollente, o nei giorni fortunati il sapone solido. E poi, per ore, china sulla conca di terracotta a bagnare, sciacquare, strizzare e sbattere i panni degli altri, i panni dei «signori».

Fiumi d'acqua gelata di cui le sue mani portavano i segni.

Il candore di quei vestiti le aveva trasformate. Erano sempre piccole ma deformi.

Poi nonna ha cominciato ad andare a servizio, i signori che le davano da lavare i panni le chiedevano anche di pulire casa. Cosí la mattina si faceva una cosa, il pomeriggio un'altra e i figli nel frattempo erano accuditi da una comare, Angelina, che non era sposata, fumava un pacchetto e mezzo di MS al giorno, teneva mia madre e i suoi fratelli a casa sua e in cambio del suo tempo nonna le puliva casa e lavava le scale del condominio.

Non si è mai lamentata, le rare volte in cui parlava delle sue fatiche lo faceva con riconoscenza, per la comare Angelina, e per la famiglia che le dava l'anticipo sulla paga di settembre per poter comprare ai figli i libri nuovi e non usati, «ché usati è vergogna».

Nel 1965 la marrana di Prima Porta, la periferia dove vivevano i miei nonni e dove io sono nata e cresciuta, è esondata, allagando tutto. Morirono in tredici, tra loro un vigile del fuoco a cui fu intitolata la scuola elementare, gli sfollati furono quattromila, centinaia le baracche distrutte e quelle rimaste in piedi ma pericolanti furono demolite in pochi giorni, migliaia i negozi e le case sott'acqua.

Anche quella dei miei nonni.

Anni di fatiche coperti dal fango e quello che restava tirato fuori cogli stivali di gomma fino alle ginocchia e la pala per rovistare in mezzo alla melma.

Hanno messo nei sacchi la poca roba ritrovata e cercato un'altra casa.

Mio nonno si è operato e per molto tempo non ha potuto lavorare, nonna si è rimboccata le maniche, zoppicante sulla gamba brutta, e ha cercato un lavoro che aumentasse le entrate.

L'ha trovato nella Roma bene.

Da allora, era l'inizio degli anni Settanta, si svegliava ogni mattina all'alba, preparava la colazione e il pranzo, lavava e stirava, disponeva sull'incerata del tavolo della cucina le pasticche per il cuore guasto di nonno, scendeva tre piani di scale e aspettava l'autobus che l'avrebbe portata a collina Fleming, attraversando i chilometri che dividono la Flaminia e la Roma dei poveracci da quella dei ricchi, e ha iniziato a lavorare a servizio da una famiglia che per noi è sempre stata «il Dottore e la Signora».

Un primario, sua moglie e le loro figlie.

Non ho mai sentito mia nonna lamentarsi, né qualcuno raccontare una sua protesta, o il rammarico delle malattie, della sfortuna che pareva, se non perseguitarla, quanto meno seguirla alle calcagna.

Per lei i soldi erano mucchietti di diecimila lire che incartava separatamente e nascondeva sul doppio fondo del tavolo della cucina. Ha sempre fatto cosí, con i pochi risparmi degli stipendi e in seguito con i soldi della pensione minima.

Negli ultimi anni, quando arrivava la pensione, diceva: «Magari avessi avuto questi soldi quando mi servivano».

Questa frase era la massima intransigenza, il piú severo reclamo che si concedeva, almeno a voce alta, col destino.

«Se aiuti ti aiuteranno», diceva. E cosí è stato con lei. Ripeteva che combattere col male le aveva insegnato che i soldi non dovevano essere una preoccupazione, lo diceva pensando ai mesi del male di nonno, agli affitti non pagati e alle parole del proprietario di casa: «Pagherai, Rita, quando puoi pagherai».

Lo diceva pensando al «Dottore», il datore di lavoro del Fleming, che ha curato nonno per anni senza volere soldi, e mia nonna si sdebitava come poteva, col candore degli abiti, e l'ordine della casa, arrivando un'ora prima e uscendo un'ora dopo, talvolta portando con sé mia madre, che restava il pomeriggio nell'anticamera del Dottore aprendo la porta ai pazienti.

«Se aiuti ti aiuteranno».

L'ho vista piangere solo una volta, nonna Rita.

Erano i primi anni Novanta, lavorava ancora dalla Signora e dal Dottore, vivevo da lei, mia madre era incinta e quella gravidanza aveva creato una tensione che non mi era consentito abitare.

Io e nonna uscivamo la mattina alla stessa ora, tutte e due sull'autobus dirette al quartiere di chi può. Lei a lavorare, io in seconda media.

Le compagne di scuola si chiamavano Flaminia ed Elettra, i compagni Luca Maria o Lupo, le insegnanti Maria Luce. Molti avevano cognomi da classe dirigente. Una volta parlando di mia nonna dissi che eravamo andati nelle Marche a trovare zio Richetto, il fratello di mio nonno. «Richetto», ripeterono in coro. Risero di me.

Dissi che era il diminutivo di Enrico e non parlai mai piú della famiglia marchigiana di mia nonna.

Imparai cos'è la ferocia dei bambini e anche la disuguaglianza.

All'uscita di scuola prendevo l'autobus che riattraversava la Flaminia distanziando di nuovo la città dei ricchi e quella dei poveracci, che negli anni erano diventati meno poveracci, e tornavo a casa di nonna. Mi aspettava il pranzo che spesso era un surgelato, a volte merluzzo fritto, a volte crocchette di patate, fritte, a volte crêpes a forma di sorriso e ripiene di formaggio e prosciutto cotto, anche loro fritte. Friggere surgelati, l'ho capito dopo, era per mia nonna una delle forme dell'emancipazione dalla povertà che ricordava.

È stato durante uno di questi pasti che l'ho vista piangere per la prima, unica volta.

«Come è andata la giornata?»

«Male».

Le mascelle si sono strette tentando di soffocare il pianto, poi hanno cominciato a scendere le lacrime.

«Stavo comprando il pane all'alimentari sotto casa della Signora e un vu cumprà mi ha chiesto se volevo i calzini, gli ho detto di no, che non mi servivano i calzini. E che non avevo soldi, se avessi avuto mille lire gliele avrei date, ma non le avevo. Allora quello mi ha detto: vai vai, vecchia, vai a pulire il culo a casa dei ricchi.

Ma io non ce le avevo, France', le mille lire».

Mia nonna è stata, inconsapevolmente, la mia educazione politica.

Si è asciugata le lacrime e ha detto che una delle figlie della Signora e del Dottore l'aveva abbracciata a lungo, che le voleva bene come a una vera nonna, ed era vero. È stato cosí, tutti le hanno voluto bene come a una di famiglia, fino alla fine.

Le ragazze, la Signora, e il capofamiglia, che ha curato mia nonna, mio padre e mi ha visto nascere e per tutta la vita per me è stato e resta soltanto Il Dottore. È alla sua porta che ho bussato di ritorno da Palermo.

– Dottore, ho qualcosa che non va.

– Vieni pure, Francesca.

Chiudendo la telefonata ho pensato: se aiuti ti aiuteranno.

Sospetta

Lo studio del Dottore è un piano terra in una viuzza del Fleming.

Alle pareti le foto delle figlie adulte e dei nipoti e sugli scaffali della libreria le foto delle figlie da ragazze, accanto alla porta un lettino di mogano e libri, tanti libri.

Il Dottore scrive tutto, scrive sempre. A volte quando entro nel suo studio ha gli appunti che mi riguardano già disposti sulla scrivania, altre volte apre il cassetto alla sua sinistra, sfoglia e rilegge riga dopo riga.

L'ha fatto quando avevo diciassette anni e ho smesso di mangiare e il ciclo mestruale si è interrotto per quasi un anno, quando a ventiquattro anni ho scoperto che il fiato corto e il sudore freddo, insieme, significavano panico, e un paio d'anni dopo, quando mi ha insegnato che della depressione non bisogna avere paura, ma che «si cura come la gastroenterite».

I nostri sono stati incontri di lunghi, abitati silenzi. Con noi c'era sempre il riguardo per la fatica decorosa di mia nonna, la sua instancabilità, e sempre anche, come fantasmi, tutti i pezzi sgangherati di una famiglia, la mia, fatta di singoli dolori che sono col tempo diventati una crepa comune.

Ogni volta, oltrepassando il cancello del suo studio, insieme alle grate e all'uscio varcavo la soglia rituale della premura.

– Come stanno mamma e papà? E tu, Francesca, come stai? Sei serena?

Ogni volta sapevo che nella mia risposta il Dottore avrebbe colto la genuinità o la menzogna, il camuffamento e l'autenticità. Ogni volta scriveva.

L'ha fatto anche quella primavera.

– Prego, siediti. Che succede?

– Non sento la parte destra del corpo, dottore, o meglio formicola tutto e quando smette di formicolare, il braccio mantiene l'intorpidimento e insieme iniziano le scosse elettriche, non so come descriverle altrimenti, scosse elettriche.

– Spogliati.

Da quel momento il dottore non ha piú parlato. Se non per dire:

Cammina avanti e indietro

Cammina avanti e indietro a occhi chiusi

Alza una gamba e resta in equilibrio

Alza l'altra gamba e resta in equilibrio

Apri gli occhi, guarda a destra, poi a sinistra

Chiudi gli occhi e alza un braccio

Poi l'altro

Apri gli occhi, guarda su

Ora giú

Vedi bene?

Vedi doppio?

Ora siediti.

Poi ha preso il martelletto e ha cominciato a percuotere le ginocchia per analizzare la rapidità dei riflessi. E ha battuto sulla rotula sinistra poi su quella destra, poi sotto la pianta dei piedi, poi dietro il tallone.

E poi è tornato a sedersi alla sua scrivania.

Ho un solo ricordo di quei minuti di silenzio, mentre il Dottore appuntava la coordinazione dei miei arti, la sensibilità, la debolezza, la forza e l'equilibrio.

Ricordo che ero seduta sul lettino di mogano con la sottoveste nera, aspettando una sua parola che collocasse i miei gesti in quello spazio, poteva essere «Rivestiti» o «Sdraiati ancora che sentiamo i bronchi», invece non diceva una parola, mentre io ero seduta con le mani sulle ginocchia all'altezza del merletto, e la suggestione dei colpi del martelletto sulle rotule, ho guardato Alessio seduto sulla poltrona perpendicolare alla scrivania, gli operai che lavoravano la calce nel terrazzo del palazzo adiacente, e di nuovo il dottore che scriveva su piccoli fogli bianchi e poi sulle ricette e pensavo: perché hanno quell'espressione grave? Ma la smettessero.

Mi sono rivestita e ho aspettato sull'altra poltrona il verdetto sotto forma di ricetta medica.

Il Dottore l'ha scritta, l'ha piegata perfettamente a metà ripassando la piega con la punta delle unghie e prima di darmela ha detto:

– Non devi allarmarti, ma non devi nemmeno aspettare. È necessario che tu faccia una risonanza magnetica, è un esame lungo che può infastidirti, nel tuo caso sarà un esame particolarmente lungo e molto costoso.

Poi ha preso un biglietto da visita col numero di una clinica privata. – Chiama pure a nome mio, vai prima possibile, – e mi ha finalmente consegnato i fogli.

Ci siamo stretti la mano con affetto, come sempre.

A cambiare, rispetto agli altri incontri, l'espressione di solenne preoccupazione che aveva sul viso.

– Fammi sapere, mi raccomando.

Ho guardato i suoi appunti su di me stesi sul tavolo e mi sono congedata.

Ad aspettarmi fuori c'erano mia madre e Pietro, in carrozzina.

Ho camminato per cento metri prima di aprire il foglio e leggere «sospetta sindrome demielinizzante».

Esterno giorno. Google, search...
Sindrome demielinizzante

«Le malattie demielinizzanti sono causate da risposte anomale del sistema immunitario.

L'Istituto superiore di sanità (Iss) è impegnato nello studio delle cause e dei meccanismi della sclerosi multipla, la malattia infiammatoria demielinizzante del sistema nervoso centrale piú comune».

Diario

Non ho paura della mia disabilità, ho paura che mio figlio abbia una madre disabile.

Non mi spaventa tanto la sedia a rotelle, mi spaventa che mio figlio abbia una madre su una sedia a rotelle.

La malattia di uno diventerebbe la malattia di tutti.

La disabilità di uno, la disabilità della famiglia.

Che fare?

Devo configurarmi in uno spazio nuovo.

Esercizio: provare a immaginarsi come una madre compromessa.

Com'è la madre danneggiata di un figlio appena nato?

Il condizionale è un modo miserabile

La prima volta che il mio corpo è stato scansionato da campi magnetici, il macchinario – il tubo – si trovava al piano interrato di una clinica privata romana.

Risonanza urgente della colonna in toto con e senza mezzo di contrasto.

Costo dell'operazione mille euro.

– Novecento perché la manda il Dottore, – disse la segretaria all'ingresso. Nel tono un misto di leziosità e maniera, la soddisfazione di chi detiene lo scettro dello sconto.

Io e Alessio ci siamo seduti nella sala d'attesa.

Ricordo:

– la luce dei neon nella stanza, spettrale
– il ronzio di una lampadina difettosa del corridoio simile al suono degli insetti accalappiati dalla zanzariera elettrica
– il pavimento di linoleum grigio topo logoro, e pensavo: con quello che si fanno pagare potrebbero sostituirlo
– l'aroma stucchevole del caffè al ginseng dell'infermiera
– l'odore del disinfettante ospedaliero che non sapevo sarebbe presto diventato familiare

Il medico era piuttosto anziano, mediamente annoiato, i suoi modi né gentili né ostili. Solo meccanici.

Mi ha spiegato il come e il quando. Ha detto di non muovere il collo e le braccia, di lasciarle attaccate al corpo

per non compromettere l'esame, «se ha ansia o claustrofobia prema la pompetta, non si spazientisca, sarà lunga».
È stata lunga, sessanta minuti.
Il corpo stretto dentro un cilindro chiuso su tre lati, la testa bloccata in una maschera per non farla muovere, le cuffie.
Ho aperto gli occhi una sola volta, a separarli dal lato superiore del macchinario meno di venti centimetri. Non li ho riaperti.
Sotterrata due volte, ho pensato, intubata e per di piú al piano seminterrato.
La tragedia che si trasforma in farsa, come a Palermo.
Congedata dal Dottore col foglio con su scritto «sospetta sindrome demielinizzante», due giorni prima, avevo consultato la medicina fai-da-te di internet.
«L'ipotesi di una malattia demielinizzante deve essere sospettata in ogni paziente con deficit neurologici non spiegabili in altro modo».
Il primo pensiero, irrazionale: non può capitare a me.
Il secondo, lucido: niente piú autodiagnosi su internet.
È stato l'esordio di una domanda che ancora mi accompagna: dove finisce la razionalità dei razionali di fronte alla malattia?
Dentro il tubo magnetico, per sessanta minuti, mi sono vista camminare appoggiandomi a un bastone, aggrappata con entrambe le mani a un deambulatore e seduta su una sedia a rotelle spinta da altri. Ricordavo la profezia di bambina: «mi ammalerò», e pensavo: se mi sto ammalando, se è toccato davvero a me, perché dovrebbe essere in forma lieve? Perché non considerare immediatamente lo scenario peggiore: peggiorerà, progressivamente, e in fretta? Perché l'appuntamento col compiersi di un presagio dovrebbe bussare a colpi deboli e non col colpo di grazia?

Immaginavo gli eventi nelle due sembianze che mi parevano le sole possibili: non è niente, era un episodio isolato. O: è già gravissimo, sarò invalida prima di avere il tempo di accorgermene. L'ipotesi della via di mezzo non mi sfiorava. Non potevo sapere che la via di mezzo è l'unità di misura della sclerosi multipla.

Ero ipnotizzata dal rumore delle bobine metalliche, sembrava quello di una motoretta di piccola cilindrata. La sopportazione richiede astuzia, la mia è stata riportare alla memoria «i ricordi della motoretta».

Seconda metà degli anni Ottanta, mia cugina Simona, che aveva già quindici anni, mi porta intorno a casa sul suo Ciao, un motorino nero e tutto scassato, lei sulla sella, io ragazzina sul parafango posteriore, lei canta *Tell Me* di Nick Kamen, contenta perché su «Cioè» ha trovato un poster di Nick (lo chiamava per nome) che ha attaccato sulla parete della cameretta, io sono gratificata perché ammessa al tempo dei grandi, non capisco una parola della canzone ma dondolo a destra e sinistra, e dondolo cosí tanto che le oscillazioni mi fanno perdere l'equilibrio e lo faccio perdere a mia cugina che guida, scivolo a terra col corpo sotto il Ciao e la marmitta sul polpaccio.

Sulla gamba destra ho ancora il segno ovale di quella bruciatura curata con le bucce delle patate.

Secondo ricordo della motoretta: Alessio che mi porta sulla Vespa verde acqua lungo le curve che raggiungono la miniera di Buonacquisto, in Umbria. Ci fermiamo a passeggiare nel prato che si affaccia sul monte Posatore. Davanti al piano inclinato a motore che trasportava la lignite, Alessio mi racconta i suoi giochi di bambino, la capra Bianchina, la bottega dello zio, che era uno spaccio alimentare collegato direttamente al piano superiore dove viveva con la moglie e le due cugine; il paese poco distante in cui è cresciuto e che contava trentatre abitanti quando se n'è andato per trasferirsi a Gerusalemme; la fermata dello scuolabus davanti casa; la fotografia in cui è vestito da Star Boy mentre si dondola appeso a un albero di ciliegio nel giardino.

Poi rimettiamo in moto la Vespa verde acqua, lui guida, io gli stringo le braccia intorno alla vita, i tornanti ci cullano. Percorriamo le strade sterrate dei boschi vicino al suo paese, ci fermiamo alla fonte d'acqua che era anche un lavatoio, mi indica le tortore in cielo, è fresco.

Lasciamo la Vespa all'inizio del sentiero, camminiamo un po' e facciamo l'amore tra le querce e le corniole. Sono felice.

Infine, ho pensato ai desideri della motoretta.

Alla prima volta che avremmo portato Pietro insieme sulla Vespa verde acqua.

E poi il presagio: «Chissà se potrò farlo».

Ho fissato la concentrazione sul ritmo del suono metallico, mi sono vista ballare in mezzo a una stanza, con gli occhi chiusi come nel tubo.

Non può capitare a me.

Il medico ci ha chiesto di attendere nella sala d'aspetto con le luci al neon. Avrebbe preparato il referto, «in via del tutto eccezionale, perché la manda il Dottore, altrimenti ci vorrebbe qualche giorno, e perché so che deve partire, ha un viaggio di lavoro organizzato, però del viaggio parleremo tra qualche minuto. Mi aspetti di là, grazie».

Lo studio in cui ci ha accolto è un bugigattolo illuminato a led, una piccola finestra che dà sul piano strada, una barella sulla parete destra coperta da un paravento, sulla scrivania in laminato rovere un telefono, un portapenne – vuoto – un bloc-notes con logo della clinica e una paginetta stampata con le prime note del mio referto.

– Per quelle definitive ci vorrà una settimana.

– Noi veramente tra una settimana dovremmo essere in Iraq.

– Non credo che nelle sue condizioni lei possa andare in Iraq.

Sarebbe bello se potessimo registrare le reazioni del nostro corpo di fronte all'inconcepibile e tenerle lí, sul taccuino dei suoni e dei sospiri. Una mappa delle contrazioni dei muscoli, delle scosse degli organi interni e dei riflessi dei nostri arti. Un piede che prende a picchiettare sul pavimento, mani unite in un viluppo di dita, il metti e togli degli anelli, o il pollice che sfrega sul lato esterno dell'indice sempre piú velocemente finché la pelle non fa un rumore ruvido, a scartavetrare la tensione.

Io sono diventata un passivo mucchio d'ossa e carne che, per proteggersi dall'incapacità di comprendere, si impone di non provare né pena, né preoccupazione, né paura. Un unico precetto: non sentire niente, nessuna alterazione del respiro, entrare spediti in una realtà neutra a due dimensioni, la dimensione mancante è quella dell'io.

C'è lo spazio, il tempo, accade qui e ora.

Ma non accade – non veramente – a me.

A me non può capitare.

Il medico ha detto che per una diagnosi i tempi erano decisamente prematuri, che ci sarebbero voluti forse mesi, erano necessari altri esami, forse il prelievo del midollo, e che la situazione era delicata.

– Ci sono molte placche attive, è una manifestazione aggressiva.

– Ma di cosa?

– Presto per dirlo.

– C'è un nome per le placche che vede?

– Ci sono molti nomi. Ma è presto per capire cosa sia. Potrebbero essere patologie molto diverse, il che corrisponde a terapie molto diverse.

– Terapie?

– Sí, deve andare da un neurologo, scegliere una struttura ospedaliera e iniziare un percorso che la conduca, presto, a una diagnosi. Intanto fossi in lei non partirei.

– Ma è il nostro lavoro.

– Se ha un'altra crisi in Iraq cosa fa? Ci ha pensato?

Non avevo voluto pensarci.

Il referto della mia prima risonanza magnetica recitava piú o meno cosí:

Risonanza magnetica encefalo e midollo in toto.

Cerebrale.

Nelle sequenze FLAIR e T2 si osserva la presenza di numerose areole di ipersegnale, di cui una, piú voluminosa, in sede temporale destra, altra in occipitale paramediana sinistra.

Midollo spinale.

In sede cervicale si osserva la presenza di un'area nettamente iperintensa nelle sequenze T2 pesate, nel contesto della corda midollare con associata iperintensità di segnale periferico di tipo edemigeno con conseguente rigonfiamento della corda midollare.

E si concludeva cosí:

Il quadro è indicativo per una patologia demielinizzante multifocale con particolare interessamento della corda midollare cervicale.

Ho letto queste righe mille volte. Leggevo cercando una corrispondenza che non c'era né può esserci. La lingua della medicina non coincide col male che prova a descrivere. Dove finisca il nostro dolore quando è ingabbiato nelle griglie rigide della lingua medica è l'altra grande domanda che mi accompagna da allora.

Quella lingua è prossima alla malattia ma non le è fedele.

L'aridità delle parole scientifiche altera il mio male, lo anestetizza.

Nel mio caso poi la medicina, oltre a non descriverlo, nemmeno lo cura.

Quando smettiamo di essere solo persone e diventiamo pazienti, ci avviciniamo al mondo ospedaliero pensando che sia lo spazio della cura. Pensiamo che la medicina sia lí pronta a dare risposte e risolvere i nostri problemi con l'incomprensibile.

Invece scopriamo che la scienza può essere lo spazio dell'incertezza.

Pensiamo che essere seduti in uno studio con la mappa del nostro cervello nel negativo della risonanza e la traduzione dei sintomi nella lingua medica basti a far sí che un dottore spieghi come è iniziata la malattia e perché e soprattutto quanto in fretta se ne andrà.

Invece l'ospedale è lo spazio del potenziale perché anche la medicina è fragile. Ma al paziente che cammina tra l'odore di cloro e i letti regolabili, con gli operatori sanitari che servono le mele cotte e il brodino e i pazienti in attesa sulle sedie a rotelle, non interessa che la medicina sia fragile e che la conoscenza sia un processo condiviso e che le malattie siano accidentali e non a tutti gli accidenti corrisponda una cura. Lo stato di paziente non ha spazio per l'incertezza, il malato ha delle domande: voglio sapere cosa avviene, cosa rischio e come passa. Vuole una prognosi e una cura.

Per lui nello stato della medicina non c'è spazio per il condizionale. Potrebbe essere questo ma anche quello. Potrebbe evolvere in peggio o potrebbe fermarsi. Il paziente non considera un «non so» come risposta.

Quel giorno, sotto le luci al neon, non sapevo che ci sarebbero voluti sei mesi, tre analisi del sangue, due risonanze e un prelievo del liquor per avere una diagnosi, una terapia e una collocazione nel catalogo dei malati: sclerosi multipla recidivante remittente.

Oggi, dopo mille letture, posso tradurre il referto della prima risonanza, dalla mia babele ingravescente e potenziale.

Quelle parole significano che la mia malattia produce macchie nel cervello, nelle sequenze della risonanza si vede il cervello grigio, i ventricoli all'interno sono neri e si vedono chiazze bianche. Il grigio del cervello dovrebbe essere uniforme, invece non lo è perché la malattia produce placche, come un pennello che sgocciola, un pennello intriso di vernice bianca che cade giú, a gocce grandi e piccole. Le macchie hanno quell'aspetto lí. L'opera d'arte del mio male.

Se aumentassero, significherebbe che la malattia è in piena attività.

Quando siamo usciti dalla clinica privata, quella sera, il sole era calato. Alessio mi ha stretta forte forte, non ci siamo detti una parola.

È stata l'ultima volta che ho pianto.

Quattro giorni dopo eravamo in Iraq.

Non lo sapevo, quel giorno sotto le luci al neon, nel seminterrato della clinica privata romana, ma *ora so* che ho un danno, che il mio danno è di colore bianco e che il condizionale è un modo miserabile.

Diario
Ottobre 2017

Cose che temo di non poter fare piú.

Nuotare con mio figlio
Fare l'amore
Sentire una carezza
Dare una carezza
Fare la valigia
Sfogliare i libri
Vedere il deserto
Toccare la sabbia
Leggere le favole a Pietro prima di dormire
Parlare
Deglutire
Vedere il viso dei miei genitori che invecchia
Guidare
Nuotare sola al mattino presto
Nuotare sola quando cala il sole
Indossare l'abito che amo di piú, i tacchi alti e neri, mi
porti a cena? baciami forte, intanto
Vedere Pietro diventare uomo

La figlia di Proviron

La storia della propria vita è iscritta nel corpo
tanto quanto nel cervello.

EDNA O'BRIEN

Quando sei malato vuoi sapere da dove arriva la tua malattia, ricostruirne l'albero genealogico, trovarne le tracce
in un pezzo di storia della tua genia: anche i morbi hanno
una storia, anche i morbi tengono famiglia.

Se ti rompi una gamba, per dire, ricordi il momento della frattura, un incidente in auto, un allenamento finito in
frantumi quando avevi quindici anni e giocavi a pallavolo,
ricordi quando e dove il corpo è rovinosamente caduto a
terra, e il corpo mantiene la memoria del camminare, avanti un piede, poi un altro, giú il tallone e poi la punta e cosí
via, e il femore, la tibia, il perone dopo quaranta giorni di
gesso e altrettanti di fisioterapia tornano com'erano, solo
un po' indolenziti. Cosí le infezioni, mettiamo un ittero
grave, poniamo una febbre gialla. Viaggi in Africa equa-
toriale, non ti vaccini e ti esponi a una malattia virale, ti
punge una zanzara Aedes e alla fine ti ammali: brividi, cefalea, nausea e vomito.

Se guarisci, cioè se sopravvivi, ricorderai precisamente
dove e come ti sei ammalato. In quale suq comprando spe-
zie, in quale stambugio bevendo tè preparato con chissà
che acqua, in quale cammino verso il deserto.

Il paziente vuole sapere quando è successo che il suo corpo
si è ammalato. Ha bisogno di posizionare l'Evento sull'asse
temporale, di scriverlo sul diario, di segnare rosso un giorno
sul calendario che sarà l'anniversario dell'invasione.

Il malato cronico, il portatore di malattia autoimmune, non lo saprà mai.

Non può avere memoria di come si è procurato il male, perché il suo corpo è esso stesso il male. Quello che può fare il malato cronico è scavare nella storia del suo organismo antagonista di sé stesso e nella storia dei corpi divoratori che l'hanno preceduto.

Una geologia delle cause del male, a passi lenti indietro nel tempo.

Nella mia cameretta di bambina sul ripiano di fronte al letto – che oggi non c'è piú, al suo posto una poltrona – sono ordinati in fila alcuni degli album fotografici di mio padre.

Apro quello verde, ad anelli.

1989. Ho otto anni, cresco in periferia. Ho una gonna bianca di cotone a balze e una maglietta a maniche corte colorata, un pappagallo sul lato destro. Non mi piaceva niente di quegli abiti, ma bisognava indossarli ogni tanto per far contenti nonni e zii. Era abitudine esibire ai parenti le proprie disponibilità economiche con regali eccessivamente costosi che i bambini avrebbero dovuto indossare – nel caso fossero stati indumenti – e non avrebbero potuto usare – nel caso fossero stati giocattoli, perché «sennò si sciupano». Per anni, nella vetrina accanto agli album fotografici di mio padre ci sono state in bella mostra Barbie troppo costose per poter essere usate.

Nel 1989 mia madre ha trent'anni, mio padre trentaquattro. Sono una ragazzina grassoccia ma non sgraziata, bruttina ma non insignificante. Quando mi dicono pienotta soffro. Tempo prima, avevo quattro, cinque anni, mia madre mi faceva mangiare per forza. Rivendicavo un diritto al gusto, il latte, per esempio, non mi piaceva, e cosí i suoi derivati, ma l'espressione della scelta mi era negata.

Ho capito col tempo che l'abbondanza, accumulare cibo nella dispensa e avere un figlio in carne facevano da contrappeso alla memoria delle ristrettezze. Erano gli anni Ottanta, gli adulti si nutrivano con pennette alla vodka, condimenti mari e monti sulla pizza e sulla pasta, cocktail di gamberetti e – ove possibile – prodotti surgelati. Io assumevo integratori alimentari perché, quando non mangiavo, il pediatra anziché pensare semplicemente che non avevo fame riteneva fossi inappetente, indisposta, dunque un po' malaticcia per gli standard dei tempi. Cosí da ragazzina gracile divento abbastanza velocemente una bambina «cicciottella».

Sono la prima della classe, vivo questo primato come l'unica alternativa possibile. Mio padre mi viene a prendere all'uscita di scuola, aspetta sulla discesa, è distante dagli altri genitori ma al centro della scena, cosí che sia lui la prima cosa che vedo, sempre, quando esco in fila con gli altri, con lo zaino in spalla alla fine della lezione.

Mi chiede: come è andata? Io rispondo: bene, ho preso bravissima, o ottimo, o eccellente.

Lui risponde: hai fatto metà del tuo dovere.

Ha i capelli ordinati e la barba folta. Penso che sia bellissimo.

Lo amo e lo temo. O meglio, lo amo e temo il suo giudizio.

Sono troppo piccola per sapere che il suo sguardo nasconde la figlia trasformandola nella proiezione dei suoi desideri e dei suoi fallimenti, dunque la deforma. Sono grande abbastanza da aver preso sulle spalle un pezzo della sua scontentezza e non fare domande.

Un giorno ricevo come voto benissimo al posto di ottimo.

Esco da scuola con un unico assillo: ho deluso mio padre. Non sono stata abbastanza diligente, abbastanza brava, abbastanza la prima della classe.

Chissà cosa dirà, chissà come mi guarderà.

La forma che lo sguardo severo di mio padre ha dato alla mia identità mi ha accompagnata a lungo, rendendo il mio corpo un imputato in gabbia circondato dal presidente della Giuria e dai Signori della Corte.

Ho vissuto come se l'entrata e l'uscita da quella gabbia dipendessero dal voto che avevo meritato allo sguardo degli altri. Bravissima, ottimo, eccellente. Oppure benino. Oppure mediocre.

Erano loro a decidere se fossi ancora e sempre la prima della classe.

Prima èra geologica del corpo Caino: ho vissuto in un corpo che aveva bisogno di liberarsi dal lazo dello sguardo degli altri.

Sfoglio gli album. Osservo il mio viso di bambina diventare grande. Poi diventare una giovane donna, poi una donna fatta. Non cerco l'Evento, la data di inizio. So che non c'è. So che non devo metaforizzare la malattia. Io non sono i miei sintomi. Ma sono una donna che ha dei sintomi. So che la malattia è un'alterazione organica, casuale, del vivente. Ma so che è arrivata qui, da me, nel mio corpo, e ha esasperato la prossimità con la fine, inevitabile.

È il mio corpo che finisce. È dall'inizio del mio corpo che ho bisogno di ricominciare. Non è una metafora, d'accordo. Che almeno sia un'interpretazione.

Cerco la mia storia. C'era una volta Francesca.

In una delle fotografie degli album in cameretta sono tra le braccia di mio padre, qualcuno lo ha fotografato alle spalle, si vede il retro della poltrona di velluto verde, a fiori rossi, sembrano gerbere ma forse sono fiori e basta. Del volto di mio padre si vede solo la fossetta sulla guancia, ha il piede destro appoggiato sul ginocchio sinistro a formare un angolo retto, su quell'angolo retto ci sono io a pochi mesi. Mi sta dando del latte, mi guarda come una conquista.

È la prima fotografia nella mia memoria in cui sono la figlia di Proviron.

Nella primavera del 1978 mio padre ha ventitre anni, di lí a pochi mesi dovrebbe sposare mia madre, che di anni ne ha diciannove. Però succede che a marzo, mentre con un camion sta trasportando legni e mattoni verso un terreno che sarebbe poi diventato casa nostra, scende dalla predella, cammina verso il cancello all'ingresso del condominio, succede che il mezzo si sfrena e lui resta schiacciato tra il ferro del camion e quello del cancello, che allora era verde e oggi è marrone.

E grida cosí forte che mio nonno, suo padre, lo sente a un centinaio di metri di distanza, mentre con le forbici in mano si prende cura delle viti.

Il resto è una storia di pezzi mancanti. Mio padre ricoverato con un gesso che lo contiene dal collo ai piedi, il matrimonio rimandato, la schiena irrimediabilmente compromessa, una gamba che resterà per sempre tre centimetri e mezzo piú corta dell'altra.

Un anno dopo le nozze, il desiderio di un figlio, il figlio che non viene, le visite di mia madre, *tutto a posto*, quelle di mio padre e l'ultima conseguenza del suo corpo schiacciato tra due corpi di lamiere.

Formula nemaspermatica, elementi normalmente conformati 48 per cento, elementi doppi 2 per cento, elementi a testa arrotondata 5 per cento e una diagnosi «in base ai dati riportati calcolati su 500 elementi l'indice di fertilità di Page e Houlding è risultato eguale a 0,2 il che corrisponde a uno sperma (e qui la parola viene dattiloscritta) sterile».

Gli spermatozoi di mio padre non avevano piú mobilità, dopo due ore ne restavano vivi il 3 per cento dopo sei ore l'1 per cento. Insieme al suo corpo di ragazzo e alla disumanità delle sue grida, nella fessura tra il muso del camion e la griglia del cancello era rimasto immobile anche il suo cammino verso un tempo indistinto chiamato futuro.

Il ginecologo disse: «Facciamo una cura, ma di speranze non ce ne sono molte». Un attempato scettico signore di fronte a due ragazzini per cui il senso di unirsi in matrimonio combaciava con la possibilità di essere genitori. Sterile.

C'è una cura, proviamola, poche illusioni.

La cura era uno steroide androgeno. Proviron, appunto.

Mia madre ne tiene ancora una scatola nel suo comodino, insieme al termometro, qualche fazzoletto di stoffa con le iniziali cucite sul bordo e il mio primo quaderno delle elementari, c'è un disegno che la raffigura, stretta nel suo abito verde, il vestito che le preferivo da bambina, e lei nei capelli ricci corti.

«Affezioni endocrine da carenza androgina e disturbi psicofisici conseguenti», il bugiardino per dire proviamo a rendere fertile un uomo che non lo è.

E ce lo rese, cosí nel 1981 mia madre prende un gettone dalla tasca, telefona a mio padre, gli dice: «Sono incinta».

La storia del camion sfrenato l'ho saputa che avevo già sedici anni, per tutta la mia infanzia mio padre rimboccandomi le coperte mi ha cantato *Buonanotte fiorellino*, accarezzato la faccia e detto: «Ciao figlia di Proviron, a domani».

E io pensavo a un dio greco, alle storie che mi raccontava e a quelle che aspettavano di essere raccontate.

Pensavo ci fosse un destino in quella frase, e infatti c'era.

Seconda èra geologica: il mio corpo è figlio di una frattura.

Febbraio 2017

Pietro,

domani io e papà partiamo pér Tripoli.

Da quando ho scoperto di essere incinta gli amici libici ripetono: «Prima o poi verrai col piccolo». Io lo spero. Ma ogni volta con gli amici libici ci guardiamo sapendo che loro sono quelli che restano e noi quelli che se ne vanno.

«Prima o poi verrai col principe», dicono. E vorrei. Vorrei prenderti in braccio sulla terrazza del motel del quartiere di Dara'a, a Tripoli, e mostrarti il mare da lí. Indicare il minareto, farti addormentare al suono del muezzin e sperare che non ti svegli il ṣalāt al-fajr, la preghiera dell'alba.

Ti racconterei di Fehmi che, anche quando siamo al fronte e lavoriamo, ha con sé il tappeto da preghiera e si scusa prima di assentarsi, e prega. Anche se intorno la città brucia e con la città le speranze che il Paese torni libero.

Ti porterei a casa sua, a Misurata, è ancora in costruzione e lui ne va cosí fiero, è fuori dal centro urbano tra dune che non sono ancora deserto ma ci somigliano, sua moglie preparerebbe il caffè al cardamomo, e il riso, che bagna con l'acqua di rose. Non ci capiremmo molto, e come sempre lasceremmo parlare la lingua oscura e sapiente dei gesti delle donne.

Ti direbbero «Che bello che sei», e che il tuo nome in arabo è Budrus.

Un nome forte, terreno, pesante e ancorato a terra. Pietro, e la tua solidità.

Hai cinque mesi, non ti ho allattato, sarà tua nonna a svezzarti.

Il latte del biberon si è colorato del marroncino dei biscotti, i pasti sono stati sostituiti dal cibo solido e la verdura tritata. Ogni volta che assaggi un sapore nuovo muovi la lingua tra le gengive sdentate e il lato superiore delle labbra.

Ma io non ci sono. Né ci sarò per i prossimi quindici giorni.

Sorriderai in un modo che potrò solo immaginare, che tua nonna, mia madre, mi racconterà nei particolari ma senza troppa enfasi per non alimentare i miei sensi di colpa, annuserai l'odore del primo pezzo di parmigiano mischiato all'olio, giocherai con le molliche di pane, e la mela cotogna diventerà poltiglia sulla grattugia di vetro che accompagna la nostra famiglia da generazioni.

Ma io non ci sarò.

Sei l'altro che ha spostato il tempo, Pietro, l'hai declinato al futuro, ma lo incateni. Mi sollevi dal timore della fine, mi continui, mi superi, accompagni la mia vita consegnandole la certezza che diventerà un ricordo, un giorno, la sposti al domani sull'asse del tempo, ma di quel domani tu sei chiave che apre e chiavistello.

Da quando sono tornata dall'Iraq ho ripreso un po' a dormire, derubricato dal telefono chi mi ha scritto che sono una irragionevole narcisista (era una collega, donna), ringraziato chi mi ha detto che ha pensato fossi pazza, ad andare in Iraq con te nato da appena quaranta giorni, ma che pur non comprendendomi mi voleva piú bene di prima (era un collega, uomo, di un'altra generazione), ho sfogliato il diario che teneva mia madre i primi mesi della mia vita.

Ho pensato non fosse felice, ma non gliel'ho chiesto.

E poi, Pietro, un giorno sul taccuino ho scritto: «Voglio tutto».

Sarà questo l'egoismo, la vanità di cui sono accusata?

Vorrei tenere insieme i pezzi, l'odore del mondo, il deserto invaso da immagini di Dio infrante, un amore tenace e te, figlio, che sigilli la paura della morte.

È questo «volere tutto»?

Se sí: ci perdoneranno gli dèi perché vogliamo tutto?

(non) restitutio ad integrum

La vita dei malati è una storia di prime volte. La prima risonanza, la prima attesa di un referto, la prima volta in ospedale per una malattia che riguarda te e non un altro cui fai visita.

La mia prima volta in un reparto di neurologia non è stata davvero nel reparto.

È stata in corridoio. Seduta in attesa su una sedia di plastica rossa che non si teneva in equilibrio e pendeva sul lato anteriore destro, con i giornali sulle gambe e le cuffie alle orecchie. Non sapevo ancora bene da cosa, ma avvertivo che dovevo proteggermi, non volevo vedere gli altri, dunque tenevo lo sguardo abbassato sui quotidiani e non volevo sentire niente, per questo ascoltavo playlist non troppo allegre né troppo tristi. Poi, certo, c'è l'olfatto e gli odori non potevo evitarli. Aspettavo il primario con una grande busta di plastica, dentro c'erano il referto degli esami e le analisi del sangue. Mi sembravano elementi sufficienti affinché lui mi dicesse cosa avessi e potesse assegnarmi una terapia, spiegarmi che la medicina ha fatto progressi straordinari e che la mia vita non sarebbe cambiata poi molto.

Il reparto di neurologia è sullo stesso piano – il terzo – della cardiologia.

La porta dei reparti è chiusa, per entrare bisogna conoscere il codice di accesso o suonare il campanello.

Il tempo negli ospedali – ho imparato – si muove tra gli intervalli d'impazienza di chi suona a quel campanello.

Fino alla malattia la memoria dello spazio ospedaliero era associata a qualche mia visita di poco conto, un intervento di mio padre al setto nasale, tre femori rotti, una volta la nonna materna e due la paterna, qualche parto di famiglia con i mazzi di fiori di rito, il cancro del mio nonno paterno e una gravidanza che non avevo voluto.

Ero abbastanza grande per scegliere, non abbastanza per sapere perché lo stessi scegliendo.

Ricordo un ospedale della zona nord di Roma in agitazione sindacale, le bandiere rosse col logo dell'Usb appese al cancello d'entrata, alcuni reparti chiusi per ristrutturazione, una stanza che odorava di candeggina e la sedia ginecologica parallela alla finestra che dava sull'androne e sul giardino.

Potevo vederlo perché ero sveglia, l'anestesia era locale, la memoria invece era, ed è ancora, perfettamente integra. Ricordo le gambe divaricate, tre pizzichi di punture di anestesia sul collo dell'utero, il medico che si muove meccanicamente allargando la cervice per inserire nell'utero un tubo di plastica e aspirare.

Il tubo aspira le membrane delle mucose e poi, per essere sicuri che tutto sia andato come deve, il ginecologo controlla con un'ecografia che l'utero sia vuoto.

Si chiama svuotamento strumentale.

Il tubo, lo strumento, ti svuota in meno di un quarto d'ora, poi una lettiga ti porta in una stanza dove altre tre donne aspettano di essere dimesse, non si parlano, non ci parliamo, perché non c'è niente da dire.

Qualche ora di riposo in day hospital, firmi l'uscita, riprendi la borsa che avevi sistemato al lato del letto, paghi quanto devi per mezza giornata al parcheggio all'esterno dell'ospedale, apri la macchina che avevi sistemato di fronte alle bandiere rosse della protesta sindacale, premi il tasto play sul cd che avevi lasciato nell'autoradio – Nick Drake, *Bryter Layter* – ti fermi al supermercato sulla strada di casa perché hai finito il detersivo, e, quando arrivi, metti la chiave nella serratura, apri la porta, la varchi, te la chiudi alle spalle e tutto è tornato come prima.

Del dopo ricordo i crampi e un dolore a bassa intensità, un dolore che non arriva a ondate e non fa visita per restare, ogni tanto ricordi il corpo vigile mentre viene svuotato strumentalmente e senti un fastidio, che ora sai si chiami violazione.

Pensi: avrebbero potuto farlo in anestesia totale, perché non mi hanno nemmeno consultata per farmi scegliere?

Per anni ricordi solo l'immobilità, poi cresci e capisci che lasciarti lucida è stata una violenza. Di più, una punizione.

Ero abbastanza grande per scegliere, allora, non abbastanza per rivendicare il diritto a essere sedata, protetta e non giudicata.

La mia prima anticamera sulle sedie dell'attesa del reparto di neurologia è durata sei ore. L'impazienza di chi suona continuamente al campanello era la mia. Pensavo che il tempo mi appartenesse ancora, non avevo capito che il tempo non mi apparteneva più.

Ho cominciato a intuirlo quando si è avvicinata una specializzanda spazientita dalla mia fretta e ha detto: – Siamo in un ospedale, capisce? Le persone entrano prima anche se sono arrivate dopo perché ne hanno più bisogno.

La logica della sua risposta, di più, del suo rimprovero, mi ha zittita.

Non ho piú suonato al campanello, ho chiuso i quotidiani e le riviste e spento la musica. Dovevo familiarizzare con quello spazio.

Ho visto uscire dall'ascensore cinque pazienti in barella trascinati dai fattorini al reparto di cardiologia, le figlie di uno di loro fumavano sul pianerottolo e sono state riprese: – Siamo in un ospedale, ma cosa fate?

Ora di pranzo: l'odore di carne bollita e pasta scotta in bianco. I portantini hanno la divisa e i copricapelli bianchi, dai carrelli che trasportano esce fumo, penso ai pasti che ricordo delle mie visite ospedaliere precedenti e a mia nonna che non voleva nemmeno vedere le mele cotte e non si spiegava perché i piatti fossero tutti senza sale. E agli ultimi giorni di mio nonno, il cancro al colon che lo stava portando via, la zona lombare e le gambe avevano già perso sensibilità, aveva capito che sarebbe morto, era un uomo non ingannabile dall'ipocrisia dei vivi quando visitano i quasi morti, cosí a un certo punto ha detto soltanto che il cibo dell'ospedale non lo voleva piú, voleva un po' dell'uva della sua vigna e sentire per l'ultima volta l'odore della grappa che faceva.

Mio padre tornò a casa, era sera, per prendere l'ultima bottiglia di grappa rimasta nella vetrina della cucina e un grappolo d'uva. Sono sepolte insieme a lui.

Nelle sei ore di attesa in anticamera ho visto uscire dall'ascensore alcune persone – pazienti – sulle sedie a rotelle. Non saprei quantificarle. Potrebbero essere tre, dieci o venti. Per me hanno solo la forma di una frase pensata e non detta: non voglio finire cosí. E del volto di una donna, piú o meno della mia età, la carrozzina spinta da un uomo, presumibilmente suo marito. Nel vano inferiore della sedia a rotelle una busta di plastica, dentro riesco a intravedere panini e succhi di frutta.

Penso: loro sanno che qui si aspetta, arrivano attrezzati. Lei indossa dei leggings neri, una t-shirt e delle scarpe da ginnastica.

Penso: che le indossa a fare le scarpe da ginnastica? Mi chiedo chi gliele abbia infilate, se l'abbia scelto lei, se le abbia scelte lei, se le piaccia quel rosa pacchiano delle strisce laterali, se non sia una forma di violenza vestire i piedi di chi non può muoverli con delle scarpe da ginnastica, dispositivo di moto.

Suo marito, ammesso che lo sia, si muove intorno a lei, intorno alla carrozzina, con attenzione, sembra avere confidenza con lo spazio e il tempo del reparto di neurologia. Me lo conferma il saluto affettuoso con una dottoressa che entra ed esce compulsivamente dalla porta che si apre con il codice. Quando li vede li chiama per nome.

Penso: chissà da quanto tempo vengono qui.

Lei è triste. Non parla. Non legge. Non mangia. Lei aspetta ed è triste.

Io la guardo, no, meglio, io la spio. Perché non voglio, non voglio assolutamente che i nostri occhi si incrocino.

Penso: non sono come lei, a me non può capitare.

Poi succede l'imprevisto, e mentre la spio ancora, con la cattiveria del malato che pensa: a me no, i nostri occhi si incrociano e il tempo si blocca.

Lei vede in me quella che era, io vedo in lei quella che temo di diventare.

La stavo spiando, lei lo sapeva e tentava di proteggersi nell'unico modo che aveva non potendo correre via: incurvando le spalle per difendersi da me.

Penso: è sempre lo sguardo degli altri che ci forma e ci deforma.

Lei è piú forte di me, tiene fisso lo sguardo, io cedo. Intercetto quello di Alessio, in piedi vicino al finestrone che dà sulle scale. Non c'è bisogno di verbalizzare, gli occhi dicono che ho paura.

Quando ci chiamano per entrare in reparto parlo di nuovo, dico: – In ospedale non ci voglio venire, io non ce la faccio a vedere le persone sulla sedia a rotelle, non ce la faccio. Penso: l'analista dei miei vent'anni mi ripeteva «Non è che non ce la fa, non vuole, si chieda perché».

Dunque riformulo: – Non voglio venire in ospedale.

Quella mattina che era diventata primo pomeriggio non sapevo ancora che la mia è una malattia cronica, e che quando sei un malato cronico l'ospedale non è lo spazio della medicina che cura e risolve.

Quando sei un malato cronico l'ospedale è lo spazio del contenimento.

Ora so che le terapie «modificano l'andamento della malattia», «mantengono o migliorano la qualità della vita», «riducono l'incidenza e la severità degli attacchi nella maggior parte dei casi», «abbreviano le ricadute e diminuiscono la loro gravità», «prevengono le ricadute e ritardano la progressione della malattia».

Pensavo sarei uscita da lí con il nome proprio di quello che mi stava capitando, mi sembrava una forma di rispetto verso la malattia: ho questo o quello, mi è preso x o y, ho avuto un attacco di bric o brac.

Invece niente, si erano aperti per me i mesi di quello che ora so essere il «limbo diagnostico».

Per le manifestazioni acute delle malattie è diverso. Un'appendicite, per esempio. Insorge improvvisamente, il paziente ha dolori specifici, caratteristici, il medico capisce cos'è, il percorso clinico è chiaro cosí come lo è la soluzione del problema, la terapia che risolve il problema alla radice.

Nelle manifestazioni acute delle malattie, il momento della diagnosi è un «rito di passaggio», l'obiettivo è la soluzione del problema e l'ospedale serve a ripristinare lo stato del paziente, a riportarlo a prima-del-morbo. Restitutio ad integrum. Il guaritore ti riporta la te di prima. Il malato cronico, allo stato di prima-del-morbo, non tornerà piú.

Per il malato cronico la fase di transizione *può* durare mesi, perché i sintomi della malattia *possono* corrispondere a patologie diverse o, scherzo del destino, *possono* verificarsi in un solo, anche aggressivo episodio, e *possono* poi sparire.

La malattia potenziale.

L'ospedale allora smette di essere uno spazio e diventa un processo, e il rapporto tra medico e paziente un dialogo e una negoziazione.

Non è una struttura di passaggio, ma una struttura di passaggi.

Non siamo solo pazienti, siamo «pazienti perpetui», siamo «malati in potenza», e, con i medici, dobbiamo cercare di starci simpatici.

Per esempio imparando ad aspettare.

Ripetendo a voce alta davanti allo specchio la mattina e la sera: il tempo non mi appartiene piú.

Quella mattina, neofita dell'ospedale, pensavo di incontrare il guaritore idealizzato, di cui fidarsi e a cui affidarsi, che mi avrebbe restituito quella che ero, ad integrum.

Invece no, non ce l'hanno insegnato che anche la medicina è incerta e che dobbiamo saper accettare un «non so» come risposta.

Ora so che la cronicità ha bisogno di un nuovo lessico per essere raccontata.

Le facce delle due dottoresse che ho incontrato, insieme al primario di neurologia, portavano i segni di chi fa ricerca in Italia nonostante l'Italia.

Ora so che hanno piú o meno la mia età, che abbiamo studiato nella stessa università, che hanno entrambe due figli piccoli che vedono a colazione e qualche volta a cena, del secondo figlio di una di loro ho vissuto gravidanza e nascita, la malattia cronica fa anche questo, costruisce legami.

Ora so che hanno due approcci diversi allo stesso caso, una temporeggia (aspettiamo la prossima risonanza), l'altra è interventista (cambiamo subito terapia!), in mezzo c'è lo spazio della negoziazione col paziente, cioè io.

È successo cosí, quella volta che le chiamai da Brescia, mi ero svegliata con la sensazione che uno spillo mi pungesse la spina dorsale e pungendomi mi succhiasse il midollo. Somigliava a una recidiva, ero una principiante e non sapevo riconoscerle. Una voleva che tornassi, per fare gli esami e valutare un farmaco di fascia superiore, l'altra era meno allarmata.

Non tornai.

Non mi hanno fatto sentire sola in questi anni, negli intervalli tra le mie domande, le mie chiamate, i miei messaggi e le loro risposte, stavano visitando quaranta persone in coda, sollecitando il laboratorio per ricevere le analisi del sangue del paziente taldeitali, scrivendo i moduli dei piani terapeutici in cerca delle parole per spiegare ai nuovi cronici di non avere vergogna, monitorando otto infusioni, sedando i nervosismi di chi aspettava in corridoio dalle sei del mattino per essere il primo della fila e che sei il primo della fila te lo dice un foglio stropicciato attaccato col nastro biadesivo al vetro oscurato della porta del reparto, attaccata al vetro anche una cordicella, pure quella col nastro adesivo, con un nodino che tiene una biro, di solito blu.

Oppure stavano ripassando le slide per un convegno o ritirando in pasticceria la torta e le pizzette per il quarto compleanno dei figli, oppure tutte e due le cose insieme.

«Scusa il ritardo nella risposta, Francesca, come stai adesso?»

Ora so che il tempo non mi appartiene piú, che il tempo è un'attesa.

Quella mattina, in ospedale, nessuno ha nominato la sclerosi multipla.

Abbiamo parlato di probabile malattia demielinizzante, c'erano da fare altri esami per capire, una rachicentesi – che ora so essere la puntura lombare, cioè il prelievo del liquido cefalo-rachidiano – e almeno un'altra risonanza. Sulla base di quei risultati avrebbero potuto valutare se si trattava di una patologia in progressione, attiva, in movimento, se considerarla una manifestazione episodica e quindi continuare a monitorarla. Potevano, infine, decidere come chiamarla.

Era quasi una nuova nascita, e quello era il tempo della scelta del nome.

Aspettavo una risposta tecnica e avevo ricevuto solo frasi indecifrabili che sancivano l'inizio del mio braccio di ferro con la parola clinica.

Loro non sapevano che ho paura della sedia a rotelle, di non correre sull'erba con mio figlio, di non trattenere la pipí perché i nervi sono compromessi e lo stimolo non arriva, di non nuotare piú, non leggere, non vedere, e di morire, sí, ho paura di morire. Ma che delle parole no, non ho paura.

Diario
Autunno 2019

La lingua medica è distante. Ho bisogno di tradurre quello che accade al mio corpo in parole che identifichino i miei timori oltre alle mie lesioni. La lingua della scienza non coincide con l'esperienza del mio corpo.
L'ho detto a S., la dottoressa dell'ospedale.

Pensiero razionale: S. mi ha spiegato quante cose siano cambiate da quando lei era specializzanda alla fine degli anni Novanta. I pazienti facevano iniezioni di interferone ogni due giorni, non ogni quindici come me, i disturbi erano diagnosticati in ritardo, i farmaci erano quasi solo sintomatici, i malati arrivavano in reparto con disagi già gravi, e quindi molti di loro erano destinati alla sedia a rotelle. Lei lo chiama il quarto di secolo che ha cambiato la storia della sclerosi multipla, la medicina ha fatto passi straordinari, dice, e oggi ricercatori in tutto il mondo lavorano addirittura alle molecole per favorire la rimielinizzazione, la produzione della mielina, raggiustare quello che si è compromesso, la guaina dei nervi. La strada è lunga ma almeno è iniziata. Vuoi vedere che negli anni troveranno una cura? Voglio vedere? Certo che voglio. Ho chiesto a S. come si comunicano gli effetti *potenziali* della malattia oggi che la medicina ha fatto progressi. Ha risposto che la comunicazione si modella sui pazienti, che non c'è un modo solo di dire la stessa cosa, perché ci sono persone che vivono ogni evento come catastrofico, una risonanza magnetica per molti è una disgrazia anche in assenza di sintomi, ci sono pazienti destabilizzati dal movimento di ogni placca, che considerano il presagio di una disabilità permanente.

Ma, mi ha detto, con i farmaci nuovi, quelli in sperimentazione e le diagnosi precoci, la relazione verbale col paziente è più semplice.

Pensiero irrazionale: S. ha detto che la relazione verbale col paziente è più semplice perché le disabilità sono assai meno probabili, ha aggiunto che il medico cerca di intercettare le paure che ha di fronte e decodificare il paziente prima di modellare la lingua medica su di lui. Anche se non sempre la lingua viene loro incontro, ha detto.

La medicina parla così: «In un individuo sano la velocità di conduzione dei segnali elettrici neuronali è di 100 m/s, in un individuo affetto da sclerosi multipla la velocità scende gradualmente a 5 m/s. La diminuzione, a volte fino all'arresto, della velocità di conduzione dell'impulso nervoso è responsabile dei sintomi e dei segni della malattia. Nella progressione della malattia, quando i neuroni cominciano a morire più o meno lentamente, il deficit neurologico rimane costante e non vi è possibilità di recupero».

Io so che le mie fratture, le mie placche attive, la diminuzione della velocità di conduzione dei miei segnali elettrici neuronali corrispondono alla possibilità che io possa svegliarmi e non vederci da un occhio o forse due, non riuscire a deglutire, non muovere una gamba. Nessuno ti avverte, con queste parole, che possa accadere.

Nessuno ti allarma, è vero. Ma nessuno, nemmeno, ti prepara.

Il quarto di secolo passato ha cambiato la storia della sclerosi multipla. La relazione verbale col paziente è piú semplice, ci sono meno probabilità di diventare disabile. Va bene, dico. Ma come si comunica a un paziente che può finire, domani, imprevedibilmente, sulla sedia a rotelle. Non si comunica.

Eppure, alla domanda: può accadere, giusto?, la risposta continua a essere: in linea di principio, sí.

I will yes

Durante il mio ultimo anno di liceo avevo i capelli molto lunghi e sempre stirati (li ho ricci, in verità, ma non sono riccia dentro), vestivo preferibilmente di nero e con maglie e camicie a maniche lunghe anche se fuori faceva caldo, il mio banco era il penultimo della fila accanto alla finestra, sul vetro c'erano attaccate foto, poesie, stralci di articoli di giornale, cosí pure sul piano del banco biposto che dividevo con la mia migliore amica, Francesca anche lei. Il minestrone di icone, frasi strappate dall'insieme per farle diventare luoghi comuni, canzoni piú o meno dolenti e buone per tutte le stagioni e tutti i ragazzi che ci piacevano, slogan di lotta e simboli conseguenti, falci, martelli, loghi femministi anni Settanta, il simbolo della pace, il volto di Che Guevara, *Guerrillero Heroico*, nella foto di Alberto Korda piú nota sotto forma di adesivi, magliette, cappellini. La scritta ritagliata da un giornale: «Sono strega perché decido io», accanto all'altra, sempre ritagliata da un giornale: «Soffro, dunque sono». La foto di Simone de Beauvoir e Jean-Paul Sartre a Juan-les-Pins, in Francia meridionale, nell'agosto 1939, lui sulla sinistra, occhiali tondi e neri, alle spalle si vede nitida la sua ombra, è giovane, tiene la pipa nella mano destra, la guarda di uno sguardo deciso, lei sulla destra, capelli raccolti e una camicia bianca, l'angolazione della ripresa fotografica la fa apparire piú alta di lui, si scorge l'occhio sinistro. Il punctum è il sorriso benevolo di lei.

La foto di Jane Birkin e Serge Gainsbourg a Parigi, lui in doppiopetto di velluto, lei cappotto lungo ai piedi e cestino di vimini, entrambi hanno il colletto del soprabito rialzato, i corpi si toccano, non sappiamo se le mani che l'obiettivo fotografico non vede si stringano, ma sappiamo tutto l'erotismo del loro sguardo e sapevamo, noi adolescenti, che quell'erotismo e quegli sguardi erano l'unica cosa che desideravamo dell'amore.

Poi la foto di John Lennon e Yoko Ono, la piú grande, nel bed-in per la pace del 1969, all'hotel Hilton di Amsterdam, hanno i capelli lunghi, stirati artificialmente, pigiama bianchi, un cesto di fiori alla destra di lui con intorno ancora la velina, sulle gambe la chitarra, alle spalle la città.

Sul vetro due scritte: «Hair peace», «Bed peace».

Io e Francesca ci pensavamo idealiste e non volevamo diventare ideologiche (tuttavia lo eravamo già), il passato ci piaceva piú del presente e a *Matrix* preferivamo *Jules e Jim*.

Quell'anno morirono De André e Kubrick, cosí aggiunsi le loro foto sulla finestra e i miei compagni di classe la ribattezzarono la finestra dei morti.

Mio padre mi regalò la filmografia in videocassetta di Kubrick e io decisi che *Barry Lyndon* era il mio preferito. Il suo restava *2001: Odissea nello spazio* perché l'aveva visto al cinema da ragazzo.

Il programma di fisica mi aveva annuvolato i pomeriggi, la scoperta delle teorie sulla natura duale della luce mi sembrava aver moltiplicato il mio modo di leggere il mondo, tutto improvvisamente si muoveva per espressioni doppie e per quanti, o meglio per il mio modo di usare quello che io avevo capito dei quanti nel programma di quinta liceo. Mi consolavo l'inquietudine con Svevo e Joyce. Le professoresse di letteratura italiana e inglese si lasciavano dare del tu.

Di tanto in tanto mi accoglievano a casa.

Avevo deciso che per nutrirmi, ogni giorno, bastavano delle mele, un paio di yogurt e qualche cracker.

Loro avevano deciso che mi avrebbero aiutato con il tè molto zuccherato, i biscotti e la letteratura. Ho ancora i due volumi del 1960 delle novelle di Verga che la professoressa di italiano mi regalò prima della maturità, in un pomeriggio di giugno. Quella volta mi disse che per lei ero come una figlia, lei non poteva averne. Sapevo che quella frase era piú di una formalità e sentivo che mi stava educando al realismo, non solo in letteratura.

F., la professoressa di letteratura inglese, era giovane, seducente. I capelli di un nero denso erano la sola traccia mediterranea dei suoi natali nel Sud Italia, le incorniciavano il viso allungato. La frangia sui lati era una ghirlanda su un sorriso che pareva non trovare spazio abbastanza, tanto era insolentemente sempre acceso. F. castigava la sensualità in gonne cilindriche che le coprivano le ginocchia, e tuttavia liberavano i polpacci e le caviglie che, da sole, davano il metro erotico della sua persona. Ci ha allenati a Beckett piú che a Stevenson, a Eliot piú che al romanticismo. Era severa, anche. Ma le importava meno l'analisi del testo e piú che capissimo perché Lady Chatterley aveva bisogno del guardiacaccia.

Un giorno eravamo sedute sul divano di casa sua, un palazzetto stile liberty della zona universitaria, il tè mi aspettava al centro di un tavolo, nella piccola stanza circolare che si affacciava sulla strada. Dalle finestre che impegnavano l'intera parete curva entrava la luce lavata dal temporale.

Il giorno prima F. aveva letto in classe il monologo di Molly Bloom che conclude l'*Ulisse* di Joyce. «Parliamo del corpo per Molly, – mi disse, – ti va?»

Io ricordavo le sue parole, Molly-Penelope che aspetta il ritorno ultimo di Leopold-Ulisse nella stanza oscura, inizia una confessione per voce sola con Yes, e la conclude con Yes e in mezzo una cascata di colori, le stelle, i fiori, gli amanti e i loro corpi, Molly Bloom che dice Yes quindici volte e nel crescendo caleidoscopico di quei sí, nell'armonia, la musica, nella lirica dei suoi sí ci sono tutte le libertà e l'erotismo del mondo. Tutta la passione al di là del pudore che precipita in un Sí finale ma non definitivo.

F. mi disse che Molly, con la presenza del suo corpo, affermava la sua identità. Che voleva essere conosciuta e riconosciuta. Che, nella fantasmagoria delle immagini in movimento della sua vita, desiderava e chiedeva di essere ascoltata.

È l'immortalità della materia e del corpo, mi disse.

Lo è quando ricorda «le ragazze spagnole che se la ridevano nei loro scialli e quel pettine alto che avevano nei capelli» e «lo spaccio di vini sempre mezzo aperto fino a notte fonda» e quando il sottotenente Mulvey a Gibilterra e Leopold, suo marito, sul promontorio di Howth, sono confusi nei suoi ricordi, e dunque uniti.

Il ricordo è ricordo del corpo prima che della mente, mi disse F., e questo cercava Molly Bloom: sentire addosso il mondo «per fargli sentire il mio seno profumato sí e il suo cuore batteva all'impazzata e sí ho detto sí voglio Sí».

Quando stavo per andare, ero già sull'uscio, F. mi disse: «Non devi aver paura del tuo corpo, non ti è nemico, è strumento di comprensione, usalo per conoscere il mondo e le persone, usalo anche per farti conoscere dagli altri».

Ho rimesso insieme tutti questi pezzi mentre aspettavo due ore sdraiata sulla barella di una delle stanze di neurologia dopo la rachicentesi, la puntura lombare, il prelievo del liquor, tutte le locuzioni che alla scienza servono per dire che un ago di dieci centimetri ti entra nella colonna vertebrale a succhiare il fluido che circonda e protegge cervello e midollo spinale.

Nei diciotto anni che dividevano la frase di F. dalla barella nel reparto di neurologia, avevo applicato quelle parole come un precetto in ogni relazione sentimentale ed erotica (spesso le due cose non avevano coinciso), e nel mio lavoro, per avvicinare il corpo a quello delle persone che avevo incontrato, stringere le loro mani quando era il momento, concedere loro di stringere la mia se ne avevano voglia.

Avevo attraversato continenti e storie d'amore, guerre e sesso, ma quattro persone intorno a me, un medico, una specializzanda e due studenti a estrarre liquor o liquido cerebrospinale o liquido cefalorachidiano, questo no, non era esattamente la forma dell'«usa il tuo corpo per farti conoscere dagli altri» che avevo immaginato possibile.

Il liquor è il fluido che circonda e protegge il cervello e il midollo spinale, il prelievo serviva a orientarci nello spettro vasto delle conseguenze dei miei sintomi. Aiutarci a dare un nome alla malattia.

Cosí un giorno sono tornata in ospedale, ho aspettato tre ore, mi hanno fatta entrare, mi sono seduta con il tronco e il capo flessi per aprire meglio lo spazio tra le vertebre, tra le mani un cuscino, mi hanno disinfettato la schiena, «Non muoverti per nessuna ragione altrimenti si rompe l'ago!» e una specializzanda ha inserito un ago sottile tra la meninge aracnoide e la pia madre, cioè tra la quarta e la quinta vertebra lombare, attraversando la cute, il sottocute, i muscoli, il legamento flavo e la dura madre, evitando i corpi vertebrali, cioè evitando di danneggiarmi la spina dorsale.

Il tempo non è un tempo di durata, anche qui è difficile delimitarne l'estensione.

Il tempo è tanto piú lungo quanto piú è piccolo l'ago, e l'ago è piccolo affinché diminuiscano gli effetti collaterali: cefalee implacabili.

Quindi la durata del prelievo del midollo è l'attesa di un'aspirazione.

Ho sentito un ago entrare ed estrarre liquido da una cavità che fino ad allora mi era sconosciuta e sono rimasta sulla barella supina, coperta da un paravento, per due ore, per tenere sotto controllo i parametri vitali e il mio stato di coscienza.

Nel frattempo, nella stessa stanza, la dottoressa di turno ha continuato a fare visite, ne ricordo una sola prima di impormi un sonno protettivo.

A., quarant'anni, tornava per la visita annuale. Da quella precedente, l'anno prima, aveva deciso di interrompere la terapia, l'aveva deciso in autonomia senza consultarsi col medico, era accompagnata dal marito, lui spiegava alla dottoressa che A. tutto sommato stava bene, ogni tanto aveva giornate di stanchezza che la costringevano a casa ma nessuna sostanziale ricaduta e non voleva farsi piú punture, niente piú interferone, certo, ora è estate, torniamo perché dobbiamo fare la visita e anche perché A. ha ripreso a trascinare la gamba destra, quella che ha sempre dato problemi, soprattutto col caldo. La dottoressa ha spiegato che avrebbero dovuto consultarsi, che non si interrompe la terapia dalla sera alla mattina senza il parere medico, che il rischio è aggravare il decorso della sclerosi che ha la sua vita e la continua, anche in assenza di sintomi. La conversazione è andata avanti pochi minuti, A. e suo marito si sono alzati per congedarsi e dalla fessura del paravento con l'occhio che avevo socchiuso ho visto la paziente uscire dalla stanza aiutandosi con un bastone.

Ho richiuso l'occhio, ho pensato: a me non può capitare, ho sentito la dottoressa digitare delle cifre sul telefono fisso e dire a qualcuno: – È tornata quell'incosciente di A. R., – e poi mi sono addormentata.

I giorni successivi li ho trascorsi sul divano di casa di mia madre. Faticavo ad aprire gli occhi, alzarmi per andare a fare pipí, masticare e anche parlare.

Ho riletto i messaggi scambiati con la dottoressa in quelle ore.

«Faccio fatica anche a parlare».

«Stanotte mi sono svegliata alle tre per il dolore».

«Sento una pressione fortissima sulla testa».

«Non riesco a stare in piedi piú di mezz'ora».

Le risposte: «Beva tantissimo per ristabilire i livelli del liquor, prenda qualcosa di piú forte per il mal di testa, niente sforzi e riposo assoluto. È la tipica cefalea».

La mia malattia mi aveva già portato in uno spazio in cui avevo qualcosa di tipico che però non aveva ancora un nome.

Di quei giorni stesa sul divano porpora di casa dei miei resta una fotografia.

Sono sdraiata, Pietro sopra di me come un koala, con la mano sinistra mi stringe il collo, con le gambe si è aggrappato ai miei fianchi. Ha una maglietta bianca, i pantaloncini con le palme, io indosso un vestito incrociato marrone, ce l'ho dai tempi dell'università, è la mia comodità dello stare in casa, unita al vezzo di un laccio che stringe la vita evidenziando il seno.

Pietro non ha ancora un anno, è nei mesi in cui un essere umano cerca l'equilibrio per staccarsi, si dice cosí: il bambino si è staccato, significa che il bambino ha imparato a camminare senza che nessuno lo sostenga.

Gli piace mangiare il sale sulla pizza bianca e giocare con le palle di plastica colorate, gli racconto le storie per lasciare traccia di un insegnamento costante anche se non può ancora fare domande, quando ride il mondo si ferma.

Nella fotografia Alessio ci riprende dall'alto.

Pietro dorme, io ho gli occhi chiusi ma sono vigile, si capisce dalla vitalità della ruga che mi attraversa la fronte e la solca di piú quando non dormo e sono preoccupata. Sono molto preoccupata e in quella foto la ruga pare viva.

Che sono vigile si capisce anche dalle mascelle rigide, nell'atto di resistere all'espressione di un dolore. Le braccia stringono Pietro, che stringe me.

Il braccio destro gli protegge un orecchio, quello sinistro la nuca e la testa.

Nella foto, le mani sono in movimento. Sono l'unico elemento mosso dello scatto.

Ho le mani molto magre, e anche le braccia.

Succede quando il corpo si consuma, succede quando non sto bene.

Pietro ha quasi un anno e sta cominciando a camminare da solo.

Cosa fa una madre quando un figlio muove i primi passi di tutte le cose?

Dice: «Ci sono qua io, non ti preoccupare. Se cadi c'è la mamma a riprenderti». Succede quando si devono togliere le ruote aggiuntive alla bicicletta e restare in equilibrio, e quando si comincia a nuotare senza braccioli, e per tutti i primi giorni di scuola.

Penso: sarò in grado di dire a mio figlio «Non preoccuparti, ti proteggo io?»

Punctum della foto: la paura di non essere in grado di proteggere Pietro.

Il prelievo serviva a cercare nel liquor degli anticorpi che indicassero una reazione immunitaria nel sistema nervoso centrale. La presenza di bande oligoclonali conferma la diagnosi di sclerosi multipla.

Dopo un mese ho avuto il primo referto *caratteristico* della malattia: «sintesi intratecale di IgG (immunoglobuline)».

Gli anticorpi indicano che nel sistema nervoso centrale è in atto un processo infiammatorio. *Ora so* che il referto è tipico ma non *esclusivo* della sclerosi multipla, era una sclerosi multipla probabile che aveva bisogno di un'altra risonanza prima di avere un nome certo.

L'ho fatta.

Conclusioni: «Lo studio RM dell'encefalo e del midollo documentano la presenza di due nuove piccole aree a carico dell'encefalo, una delle quali con potenziamento dopo contrasto, *aspetti indicativi per progressione di malattia, con caratteristiche di attività*».

Erano passati sette mesi di condizionali, decine di ore di attesa in ospedale, tre ore nel cilindro delle risonanze, un prelievo del liquor, due viaggi in Iraq, uno in Libia, due stagioni e io ero ufficialmente una donna malata di sclerosi multipla, con «caratteristiche di attività».

Avevo trentasei anni, ero al terzo piano di neurologia con la paura che non sarei piú riuscita a trattenere la pipí, che avrei potuto svegliarmi senza vedere, che avrei avuto bisogno del bastone per camminare e con la certezza che il tempo non m'apparteneva piú ma era diventato un frattempo tra un'analisi e un'altra.

Volevo crescere mio figlio ridendo, viaggiare, fare l'amore.

Il corpo, pensavo, dovesse servirmi solo a questo.

And yes I said yes I will Yes.

La stanza vuota

Sono stata dal Dottore. Siamo stati, in verità, io e la frase che è entrata nella mia vita il giorno della diagnosi, pare che qualcuno me l'abbia pinzata addosso per non farmela dimenticare: la malattia era dentro di te da tempo, avrebbe potuto non presentarsi mai, qualcosa l'ha scatenata, difficile dire cosa.
Forse gli effetti della gravidanza.

Pensiero razionale: la gravidanza non causa la sclerosi multipla.
Pensiero irrazionale sotto forma di domanda: perché nella mia vita si sono presentate insieme, a distanza di pochi mesi?

Ho chiesto al Dottore cosa dice la lingua della scienza, ha risposto che «la gravidanza non provoca la sclerosi multipla, ma se si dispone di una sclerosi multipla non diagnosticata, si possono verificare i primi sintomi nei mesi immediatamente successivi al parto».
Mentre il Dottore parlava pensavo che la lingua medica forse assolve la stessa funzione della mielina: è una guaina, protegge. La mielina protegge i nervi, la lingua medica protegge i pazienti mitigando le informazioni.
Mi vuole proteggere, pensavo, eppure ho la sensazione che mistifichi. Forse si è rotto qualcosa anche nella trasmissione di quel messaggio, non solo nel mio sistema nervoso.

Ho chiesto al Dottore di abbandonare la gabbia delle parole scientifiche e camminare per un po' insieme a me dove si scivola, di immaginare la mia vita come una stanza che prima era rumorosa e ora si è svuotata.

Lo spazio della mia identità è stato una stanza affollata, abitata da pezzi negati e incastrati agli angoli delle pareti. Una me che voleva ballare al centro della stanza, vanitosa, e altre me invisibili, stese a terra: mi arrendo, non osservatemi, non reggo il vostro sguardo. Altre ancora in attesa, appena fuori dalla porta, sconosciute ma già sull'uscio pronte a entrare. La notte mi ha svegliato a lungo. Il suono che mi destava era l'ululare delle loro voci, in coro. Mi alzavo dal letto, avvinta da quel richiamo, pregandole di smettere. Aspettando la luce del giorno, e che passasse la paura. Non avevo un dio da pregare, di notte, e quello degli altri mi sembrava indifferente alla morte e anche alla vita.

È profonda, quella stanza. Cosí profonda che non si vede la fine, e si rischia di annegare.

Laggiú ho a lungo pensato che per lasciar vivere una Francesca nuova avrei dovuto negare le altre. Ucciderle. Ora sto imparando a capire che se riesci a trattenere il respiro abbastanza a lungo da arrivare in fondo, aprire gli occhi, vedere chiaro tutto e tornare a galla, nessuna identità proverà a farsi spazio disintegrando le altre.

La sclerosi multipla mi fa tornare ogni giorno, piú spesso ogni notte, nella stanza che abitavo prima – la stanza delle me possibili, di quelle potenziali – sperando di incontrare la me senza la malattia.

Ma lei è andata via. Allora, ogni volta che provo a entrare, scivolo e cado.

Senza di lei, senza la Francesca non malata, mi sento sola al mondo.

Il Dottore ha detto che la malattia era stata una bufera, in quella stanza, una stanza di isolamento esposta all'aria pungente di montagna, una tormenta che si abbatte di colpo, scoperchia i tetti, spalanca porte e finestre, smucchia tutto.

Cosí ha detto: smucchia.

Tra la lingua medica e la mia ha scelto una parola che non esiste.

Ha ragione lui, la malattia ha fatto cosí, ha smucchiato.

Ora nella stanza tutto è fuori posto, i cassetti sono stati rovesciati: i ricordi, le abitudini, l'ordinario e lo straordinario, il superfluo e l'indispensabile, i progetti, la vita futura e quella passata, tutto è a terra.

Non c'è piú nessuno, quelli che la abitavano prima sono andati via e, del prima, tutto è diventato proiezione.

Anche io sono una proiezione, per loro che mi guardano ormai da lontano.

Anche lei, la Francesca di prima, mi guarda da lontano. Ho la sensazione che aspetti qualcosa, forse un invito.

Vorrei che in quella stanza si incontrassero la non malata e la compromessa, quella di prima e la danneggiata, e inventassero una lingua nuova per tenere insieme i pezzi.

Scrivo per questo, credo.

Dottore, scrivo per questo, secondo lei? Per tenere insieme i pezzi?

Il Dottore mi ha ricordato che la parola diagnosi in greco significa «riconoscere attraverso». E penso sia questo il patto con la stanza vuota e smucchiata: non posso guarire ma posso *ri-conoscermi attraverso* l'esperienza della malattia. Non posso abitare quella stanza come prima, ma posso mettere ordine nei pezzi che la bufera ha sbalzato a terra. Non posso spostare l'asse del tempo e riportarlo indietro, ma posso provare a non essere schiacciata dal passato e dal futuro.

Ho imparato in fretta che il malato vive al presente, tende a seppellire il passato, perché il passato è la stanza ancora in ordine, e trascura il futuro, perché è il tempo del potrei ma non so.

Quando di notte entro nella stanza smucchiata voglio che il tempo non esista piú, che il passato, il presente e il futuro si intersechino, e i ricordi si confondano con i desideri. Ci siamo solo lo scandalo del silenzio e io, che provo a risollevare tutto continuando a chiedere quello che non capisco.

Penso:

È questo, volere tutto?

Gli dèi puniscono chi vuole tutto?

Ma alla fine chiedo:

– Senta, il fatto che il primo episodio della malattia si sia verificato pochi mesi dopo che ho partorito è...

– È tipico.

– Tipico.

– Sí, tipico. Capita spesso, sono le variazioni ormonali. La gravidanza è protettiva, il post-partum è molto rischioso.

– Posso dire che la malattia era dentro di me e avrebbe potuto non uscire mai?

– Sí, questo sí, poteva già essere lí...

– E possiamo ipotizzare che, diciamo, la gravidanza...

– Possiamo ipotizzare sia stata l'evento scatenante, che il carico di cambiamento abbia funzionato da detonatore. Capita in molti casi che, in situazioni di grande cambiamento, le malattie autoimmuni si scatenino.

– Cosa fa la gravidanza alla malattia, Dottore?

– La sostiene, sostiene il corpo. La malattia di fronte alla gravidanza fa un inchino e si congeda, fa marcia indietro. Le dice: ok, tregua. E poi insorge di fronte all'allattamento.

Ho tradotto cosí: quando il corpo genera, la malattia si placa.

La cura, l'accudimento, la presa in carico di un altro essere umano, invece, possono scatenarla.

Credo che a me sia successo esattamente questo.

Nella mia retta matrilineare la gioia e il dolore, la vita e la morte si sono sempre date il cambio.

Parola Madre

FATEMI MALE
MA NON POCO MALE NON POCO
FATEMI QUELLO CHE SIETE.

MARIANGELA GUALTIERI, *Antenata*.

Quando sono nata mia madre aveva ventidue anni, di lí a nove mesi sarebbe diventata orfana. Madre e orfana nel tempo di un salto.

Bellezza inconsapevole, la sua, in ogni fotografia una pettinatura differente, capelli ricci e corti, o piú lunghi e trattenuti da due mollette all'altezza delle tempie, o morbidi fino alle spalle a ingentilirle gli occhi severi. Le sopracciglia precise, ali della sua fronte ampia, distesa. E la bocca scontrosa. Il suo malumore ha sempre trovato riparo nella carne delle labbra.

Da bambina osservavo le foto della sua giovane età, le gambe sottili, i fianchi definiti, la disinvoltura nell'indossare l'anello di fidanzamento con un grande cobalto, al centro.

Sembrava nata nel benessere, invece la luce che le brillava intorno era sua, la sua eleganza era naturale. Pareva indossare l'agio come se a questo fosse da sempre designata, invece l'agio, per lei, non era punto di partenza ma di destinazione. Non le apparteneva nessuna comodità, se non quella di una bellezza accidentale.

Non ho ricordi di mia madre nella prima casa in cui abbiamo vissuto per tre anni dopo la mia nascita. Il primo ricordo che ho di lei è in campagna, nella casa in cui tuttora vive la mia famiglia.

Lei è affacciata al balcone al primo piano e io bambina, nel piazzale di sotto, gioco di fronte al muro che dà sul portellone del garage. Faccio qualcosa che non devo, forse il pallone che sbatte sul muro, forse lancio una delle bocce in direzione della macchina dei miei. Ho timore di virare lo sguardo e incontrare l'espressione che da sempre la sintetizza. È rigida e benevola insieme.

L'indecifrabilità e l'abnegazione sono i magneti che hanno spinto mia madre per tutta la vita ai poli dell'amore. Sofferente ma incapace di processare i dolori, ha vissuto alternando rimozioni e omissioni a sentimenti dovuti, e pertanto provati.

Spesso agiva la sua amorevolezza come un automatismo, una tassa da pagare per essere considerata una brava madre e una brava moglie.

Alla fine mi fermo a guardarla, dal sotto della mia birichinata al sopra della sua solitudine.

Lei mi guarda, ha la fronte accigliata e il sorriso ricurvo. Appoggiata alla ringhiera col peso del corpo sostenuto dagli avambracci, le mani incrociate, il collo che si muove inarcandosi, lo sguardo che va a perdersi verso un altrove in cui non sono mai entrata.

Un altrove che le riconosco, distintivo, e alla cui porta non ho mai bussato.

La porta di mia madre, l'inafferrabile.

Il secondo ricordo nitido che ho è la notte della vigilia di Natale del 1985.

Avevo quattro anni. Mio zio N. scivola nella stanza adiacente alla sala da pranzo per travestirsi da Babbo Natale, torna con la barba bianca di plastica poggiata sul mento e un sacco sulle spalle scuotendo un campanaccio.

Mia cugina, mia coetanea, piange in un misto di timore, emozione e curiosità.

Io mi volto, le dico: «Ma non lo vedi che è zio N.? Non lo vedi che nella stanza non c'è? Babbo Natale non esiste».

La soddisfazione spensierata sul viso di mia madre, che è alle mie spalle, si disintegra. Non so se fosse delusione per la mia cattiveria, l'imbarazzo che la franchezza genera negli altri, o l'affanno di gestire una figlia non avendo ancora imparato a essere madre. So però che quel momento segna una frattura nella mia idea di essere figlia. Mi sono sentita colpevole dell'espressione amara sul viso di mia madre, la mia autenticità di bambina poteva essere un fardello.

Oggi, quando penso a quella notte di Natale, ci vedo il principio del disinganno e anche del momento in cui ho cominciato a risparmiare me dal fardello dell'infanzia e sollevare mia madre e mio padre dall'incombenza di guidarmi.

Sono diventata madre dei miei genitori, e ho iniziato a proteggerli.

Il 24 dicembre del 1985 la famiglia si è presentata per la prima volta nella forma che avrebbe poi assunto per la mia vita intera fino all'arrivo della malattia: l'allucinazione.

La condizione ingannevole in cui la forza del singolo non viene tollerata ma respinta, in cui la fragilità agisce come una forma di predominio e si esprime al passo lento del senso di colpa. Nei ricordi che seguono quella notte mi vedo bambina impensierita che fatica a sorridere, poi ragazzina protettiva che accompagna l'indulgenza verso i suoi genitori con le illusioni.

Li illudi che tu sia come loro ti vorrebbero vedere. Li illudi che abbiano lenti adatte alla vista da vicino, se sei loro prossima, e a quella da lontano se sei distante.

Credo di essermi congedata cosí dall'infanzia, un po' come quella canzone di De Gregori, *Atlantide*, in cui l'uomo di passaggio prende commiato dalla memoria dell'amata, mentre vola alto nel cielo di Napoli, «ditele che la perdono per averla tradita».

Per me è lo stesso.

Dite a mio padre che lo perdono per avergli imposto una distanza.

Dite a mia madre che la perdono delle domande senza futuro.

A Pietro no, non dite niente.

Quando mi sono ammalata mio figlio aveva sei mesi.

E io non avevo mai chiesto a mia madre cosa avesse rappresentato per lei il corpo malato di suo padre.

Storia in un corpo

Cos'era il corpo di mio nonno, per mia madre? Come si risponde alla malattia sempre seduta accanto, entrando nel gorgo insieme al danneggiato o prendendo una distanza?

Non ho mai chiesto a mia madre cosa abbia significato per lei crescere con un padre per cui svegliarsi, ogni giorno, significava scommettere se vivere o morire. Non ho mai chiesto a mia madre cosa fosse, per lei, la malattia. Né le ho mai chiesto, dopo tre anni e mezzo, cosa significhi sapere che sua figlia convive con l'imprevedibilità di una diagnosi di sclerosi multipla recidivante remittente.

Ho bisogno della sua porzione della nostra storia comune, per capire se c'è un inizio a questo male e, se c'è, dove l'ha nascosto.

Ellissi temporale.
Dissolvenza a nero.
Glielo chiedo.

Click.

– Cos'è per te la malattia, mamma?
– Avevo poco piú di vent'anni quando mio padre è morto e mi sentivo ancora figlia anche se tu eri nata già da qualche mese. Famiglia e malattia sono state a lungo una cosa sola, nella mia testa. Mia madre – tua nonna – era spesso

assente, c'era sempre un malato da accudire. Qualche parente prima, e poi papà. La valvola mitralica compromessa
e allora inoperabile. La malattia significava spesso passare il
tempo con Angelina, che in fondo era un'estranea, comunque non una di famiglia, perché nonna doveva lavorare per
tutti: pulire le scale e le case degli altri per mandare avanti
la baracca. In un'immagine, la malattia di nonno sono stati
i suoi pigiami. Nonna lavorava per comprare da mangiare
e per comprare i pigiami nuovi, diceva: dobbiamo essere
pronti, perché non si sa mai quando il cuore chiama. Erano piegati nelle scatole e avvolti nella carta velina, erano i
piú costosi della merceria dietro casa, si chiamava *da Lauretta*. Nonna andava da Lauretta a ogni cambio di stagione
e mettevamo da parte un pigiama nuovo, alla fine ogni pigiama era una stagione in piú che papà aveva passato vivo.
    – È diventata una fragilità o una forza, per te, la malat-
tia di tuo padre, mio nonno?
    – La malattia c'era. Come posso provare a spiegarti?
C'era ma non era. Il corpo di papà diventava piano piano
quello di un uomo invalido, aveva poco piú di cinquant'anni e viveva nel corpo stanco di un anziano. Abitavamo al
terzo piano, non c'era l'ascensore e lui non riusciva piú a
salire le scale per arrivare a casa. Quando oltre alla valvola mitralica si è compromessa anche quella aortica, il Dottore gli ha detto: «Mario, le scale le puoi fare non piú di
una volta al giorno». E lui sorrideva, diceva: «Di scale si
muore». Ma avevo vent'anni e la morte era un pensiero
di passaggio. Non come la tua malattia.

Mamma, ti guardo, piangi.
    *Fuori è primavera, sei seduta al mio tavolo verde. Cam-
miniamo lentamente nei ricordi, il pavimento è viscido, le
stanze impolverate.*

Vuoi un caffè? Ti porto anche un biscotto. Li ho preparati stamattina presto, il ripieno è alla marmellata di arance. Stringo la macchinetta del caffè, la sistemo sul fornello, accendo il gas. Tornerò da te, nell'altra stanza, con un sorriso ospitale. Due tazze sul vassoio di ceramica scovato nei banchi polverosi di un mercato d'inverno. Ti chiederò con voce rotonda, uniforme, se stai bene. Proverò a scaldare la tua voce ossuta, la voce di spine che hai portato con te.

Sento che cerchi le parole giuste, quelle inoffensive. Io però vorrei quelle sporche, ineducate.

La macchinetta gorgoglia. Spengo il gas, verso il caffè nelle tazze.

Mi siedo di nuovo al tavolo verde, ti guardo. Raccontami la mia storia, vorrei dirti.

Ma no.

– E invece cosa è stata la diagnosi della mia malattia?

– Non lo so dire, Francesca. Non c'è un'immagine per descrivere quello che sto vivendo a partire dalla tua diagnosi. Per sopravvivere, prima di pensare a te penso a Pietro e ai progressi che ha fatto la medicina. A volte di notte, quando la paura diventa un'ansia che mi sembra insostenibile, mi alzo, per non svegliare tuo padre, e vado in cucina a bere un bicchiere d'acqua. È stato difficile trovare pace, il primo anno. Ogni volta che squillava il telefono pensavo fossi tu, che fossero riprese le scosse nel braccio, o che avessi qualche parte del corpo di nuovo indolenzita e addormentata. O che la schiena fosse ancora ipersensibile, e anche il cotone della maglietta diventasse fastidioso come un ago. Poi respiro e penso che ti vedo stare bene

Sono le tue allucinazioni, mamma

– Che reagisci bene

Ancora le allucinazioni, mamma

– Che nel tempo non ti hanno cambiato la cura, che non è una cura, lo so. Perché tu non guarisci. Lo so che non si guarisce, ma penso: se non le cambiano la terapia, allora va tutto bene, e immagino te che sorridi e questo mi aiuta.

Mamma, sono qui, sono l'allucinazione. Perché non mi chiedi se ho paura?

– C'è stato un momento preciso in cui ti sei detta: c'è un prima e un dopo nella nostra vita?
– L'ho capito subito, quando sei uscita dalla visita col Dottore, avevi il telefono in una mano, nell'altra il risultato delle analisi, io passeggiavo con Pietro nella via di fronte, ricordo che lui era in carrozzina che dormiva. Il Dottore la sera mi telefona: «Daniela, non è un tumore, non la mangerà, ma per Francesca, per come è fatta Francesca, forse è peggio». Ecco, quello è il giorno in cui la vita ha avuto un prima e un dopo. La malattia mi ha camminato vicino sempre, ho pensato che in fondo c'ero abituata, e invece stavolta è stato tutto diverso, perché soffro con te.

Eppure no, non soffri con me, si inceppa lo sguardo, soffri per la me che credi di vedere seduta dall'altra parte del tavolo verde, non è me che stai vedendo, è la mia vita per come la speri.
Ci separano un piatto di biscotti col ripieno di arance amare, due tazze, una blu e una senape, l'intenzione di raccontare e il morso, il timore di dire troppo e dirlo male.

– Mi chiedo cosa sarà se la malattia dovesse peggiorare, se fossi costretta a ripensare la tua vita. Perché aveva ragione il Dottore: non è tanto la malattia, è questa malattia su una persona come te.

Una persona come me. Com'è una persona come me, mamma?
Vorrei raccontarti una mattina del mio ultimo anno di liceo. Ero in sala professori, l'insegnante di religione mi aveva convocata a ricreazione. Non mangiavo, ero un lego di ossicini radunati sotto un assortimento di vestiti sempre neri. Parlavo poco, leggevo molto. Mi sentivo separata da tutti. Non rifiutata, né isolata. Solo distante. Il prof di religione, Alessandro, era in piedi vicino alla finestra, io sempre in piedi ma vicino alla porta. Mi disse: «La classe ha perso una voce, ti parliamo, tu non rispondi. Torna in mezzo agli altri, torna a essere quella che eri».
Ed è successo che ho cominciato a gridare e ho dato in pegno al professore una frase sola come risposta, una sola, ma strillata: «Non lo so piú com'ero».
Credo che quella frase sia ancora appesa ai muri della stanza. Vorrei dirti lo stesso, al tempo presente: non lo so come sono adesso che tutto è cambiato.
E dirti che non cerco guarigioni formidabili, cerco una storia che esca dai nostri corpi, insieme.

– Sei mia figlia, è un dolore cosí forte che alla fine mi sembra di non sentire niente. Però mi aiuta piangere.

Sei fortunata, mamma.

– E dopo che piango sto meglio, perché a volte, sai, ho paura che aver vissuto sempre a contatto con la malattia mi abbia reso un po' insensibile, che mi abbia anestetizzata.

È talmente forte che non senti niente, mamma.

– Piango, e dopo mi sento meglio.

Io non riesco a piangere. Forse c'è qualcosa di danneggiato anche nei neurotrasmettitori dell'apparato lacrimale, chissà.

– Tuo padre invece no, lui nemmeno ne parla. Forse crede che se non ne parla la malattia non esiste, non ci siamo mai seduti a tavola a parlarne, a nominare questa cosa: Francesca è malata. Penso sia cosí, se la nomini esiste e lui non accetta che esista.

La malattia danneggia, divide, mamma, si muove coi passi delle energie distruttrici. Arriva a dissipare. Però arriva anche a fare nuovo. Io ho tracciato una linea rossa sulla retta del tempo, le giornate non saranno piú di ventiquattro ore, le ore di sessanta minuti e gli anni di trecentosessantacinque giorni.
Vivo in un tempo senza tempo in cui sono nata nuova.
Mi devo presentare, sono Francesca, sono io quella mala-ta, chiedimi se ho paura.

– Nonno ti ha detto qualcosa, prima di morire?
– Non si è reso conto che andava a morire quando l'hanno portato in rianimazione, lui non mostrava mai la paura. Diceva sempre «adesso non mi troverei comodo a morire», l'ha detto prima di vederci sposati tutti, e poi dopo i nostri matrimoni lo diceva per ogni nipote, per i

battesimi e cosí via, come se volesse congelare il tempo. E poi è arrivato il 1982 e non è piú uscito da quella sala operatoria. In qualche modo non ne sono uscita nemmeno io.

Forse anche tu sei nata nuova da quel danno, e nemmeno io, in fondo, ti ho mai chiesto se hai paura. Non te lo sto chiedendo neppure ora. Non ti chiedo: come stai?

Le parole possono essere un'ostinata menzogna, mamma, oggi provo una volta ancora a decifrare quello che la tua parola mente e il tuo corpo tradisce. Hai gli occhi piú belli del mondo. Lo pensavo da bambina e lo penso ora, che attraverso con lo sguardo i centimetri del tuo viso e sei sempre bella, la piú bella di tutte. Gli occhi mi hanno sempre rivelato la tua verità, quando eri d'umore oscuro i tuoi occhi sono stati la mia porta d'accesso alla chiarezza. Oggi dicono: sopravvivimi in piedi. Le tue labbra invece parlano un'altra lingua: figlia mia, abbiamo speranza, non si vede niente, ci convivi bene.

– Di fronte all'eventualità, remota certo, ma potenziale, che la mia malattia peggiori in una sclerosi secondariamente progressiva, fino all'invalidità, che pensi?
– Che ti accompagnerei io in Svizzera.

Spengo il registratore.

Il caffè si è freddato. La tenerezza è tornata ad abitarti il sorriso, sai che non ci sono altre domande, mi sembri riconoscente. Sei sollevata, l'hai detto: «Ti accompagnerei io» vuol dire: figlia mia, sarò accanto a te sempre, fosse anche la prova d'amore risolutiva, finale.

Ma significa qualcosa in piú. Significa che sempre mi rispetterai.

Pensi di aver spinto le parole oltre la sponda della dici-
bilità, ti vedo, ti sei ascoltata sostenere l'impronunciabile,
sei impressionata e non lo sai dire.

Cerchi una frase che ti sollevi da quell'orlo dove sei andata a sbattere, l'orlo del dolore quando si esprime per ec-
cessi e forzature. Non spiegarmi, mamma, ho capito, non
discolparti. Non cercare parole tiepide. Tieni alta la temperatura di questa febbre che si chiama franchezza.

Sei in piedi di fronte al tavolo e mi dici che, certo, poi
bisogna vedere come ognuno reagisce ai cambiamenti e che
tanta gente convive per anni con la sclerosi multipla senza
peggiorare, certa gente che «se non lo sapessi non l'avrei
mai detto, non si vede niente», e che forse, per come sono
fatta, sarei forte anche immobile, anche sulla sedia a rotelle.

Come sono fatta, mamma?

Finché eri figlia la malattia era un accudimento, il tuo
a tuo padre.

Lo spazio equivoco in cui la cura serve piú ai vivi che ai
morenti. Oggi invece sei madre, io sono malata e seduto a
tavola con noi c'è l'irrimediabile.

Fingiamo di non vederlo, ma è l'ospite d'onore del banchetto.

Siamo nate nuove, tu da una morte e io da un danno,
e ora dobbiamo darci un nome. Nominare l'impronunciabile è stato il nostro modo di presentarci. Ora possiamo
chiamarci per nome. Tu a me, finalmente figlia. Io a te,
cosí che ti battezzi, parola Madre.

Nel nome del padre, della figlia e della forza, che mi
condanna.

Diario
2019

Pensiero razionale:
La scienza negli ultimi venticinque anni ha fatto progressi significativi, se mi fossi ammalata negli anni Novanta sarei sulla sedia a rotelle, allora si interveniva solo col cortisone, la sclerosi era un mistero e il paziente era solo, destinato a sentirsi sempre piú isolato nel progredire della disabilità, non poteva accedere a nessuna terapia né riabilitazione. Ora è tutto diverso.

Certo non sappiamo ancora cosa la scateni né come gestire le forme progressive, ma sulle forme come la mia la storia recente della medicina è una storia di traguardi raggiunti, l'ho letto sullo speciale di «Nature Reviews Neurology» del gennaio 2019. D'altronde fanno fede i numeri e i numeri non mentono. Oggi ci sono una ventina di opzioni terapeutiche e farmaci in fase di studio e sperimentazione. Si può gestire la malattia sulla base dello stile di vita del paziente, stanno sperimentando le cure cellulari e quelle staminali, l'ho letto su «Jama Neurology», quella ricerca anche italiana sui risultati a lungo termine dopo il trapianto di cellule staminali ematopoietiche dice che a cinque anni dal trattamento in circa metà dei pazienti, incluse anche persone con sclerosi multipla secondariamente progressiva, quelle gravi per capirci, non si osservavano peggioramenti dei sintomi o progressione di malattia. E poi vuoi mettere essere nata in Italia,

il Servizio sanitario nazionale che copre ogni spesa medica sulla malattia: analisi del sangue, visite ospedaliere,
risonanze magnetiche?

Pensiero irrazionale:
Vedo un uomo in carrozzina, so che non si dice carroz-
zina, si dice sedia a rotelle, insomma lo vedo e penso: me-
glio a lui che a me.
Penso ancora: io cosí non ci finisco.
Mi sento un essere umano spregevole.
Il malato è cattivo?

Fata Morgana

C'è una canzone di Piero Ciampi che si chiama *È Natale il 24*. Ciampi dice che il 24 ha la folle sensazione di fermarsi a una stazione senza amici e senza amore. Io no, ma anche per me il Natale è il 24. Da quando sono nata ogni anno lo festeggiamo nello stesso posto: a casa di zia Antonietta, la sorella maggiore di mia madre. Zio Nello, suo marito, mette in tavola i pomodori che ha steso al sole, lasciato seccare poi condito con olio, aglio e peperoncino, mi dice «zio li ha fatti apposta per te», torno a sentirmi bambina, lo ringrazio di spacchettare la mia età in tante piccole ere che non ci sono piú e riportarmi a quella di partenza. Mangiamo i fritti natalizi, i carciofi, le mele, il cavolfiore, i broccoli e il baccalà in pastella. Siamo felici, riconciliati con l'idea di famiglia che smette di essere la gabbia delle aspettative tradite e diventa un'addizione d'amore, rinnovata coi posti aggiunti a tavola per i figli e i figli dei figli.

La parola famiglia, nella sua accezione migliore, è la tavola di ramo materno, la notte della vigilia di Natale.

Niente da detrarre né da dimostrare. Niente crediti né debiti.

Ora che Rita non c'è piú al suo posto siede l'umiltà che ci ha insegnato, l'umiltà da cui veniamo.

Ogni anno, pochi minuti prima della mezzanotte, un adulto si assenta senza dare nell'occhio e prende le sembianze di un signore barbuto e robusto che viene dal Nord.

Fingiamo di vedere le renne nelle luci delle case in lonta-
nanza, zia Antonietta urla: – Arriva Babbo Natale, arriva Babbo Natale! – e arriva davvero, con un sacco di iuta
sulle spalle e i regali per tutti. E per tutti una lettera, per
i buoni e i meno buoni. Le scrive tutte zia.

Sospendiamo l'incredulità fingendo che non manchi
nessuno nella stanza per godere lo spettacolo dei bambini
sbalorditi. A volte piangono, altre volte fingono stupore
per non deludere le nostre chimere. Io mi avvicino a zia e
le sussurro all'orecchio: – Ma allora Babbo Natale esiste
davvero? – E lei risponde sempre: – Solo se ci credi –. Me
lo dice perché io non ci ho creduto mai.

Ma voglio che Pietro lo faccia, per questo anch'io divento una madre *fata Morgana* e recito il copione magni-
fico della finzione: – Sei stato buono? Se sei stato buono
Babbo Natale esaudirà i tuoi desideri, – lo dico e immediatamente mi pento.

Ti do, mi dài. O peggio: ti do, *se* mi dai.

La congiunzione *se* è l'unità di misura del dono per come ce l'hanno insegnato. Mette l'altro se non di fronte
all'obbligo, almeno alla possibilità di dover dare qualcosa
in cambio. Diventa una concessione.

Non è *scelto* per un altro, è scelto affinché un altro ci
dia qualcosa in cambio.

Impone presenza perché la chiede.

Per come ce l'hanno raccontato la notte di Natale, il
dono è tirannico.

Mi mordo il labbro, pentita di aver detto a Pietro: «Se
sei stato buono allora riceverai».

E gli dico: – Babbo Natale ti porterà un regalo perché
è cosí che funzionano i doni: chi dona non chiede niente
in cambio.

Mia madre tre anni fa mi ha fatto un regalo senza chiedere niente in cambio.

Ha smesso di mangiare gelato. Era il suo vizio, era capace di mangiarne chili.

Non manca mai, il gelato, nel suo freezer. Cassata siciliana coi canditi, affogato al caffè, il preferito di mio padre, sorbetto al limone per il dopocena d'estate, il biscotto gelato ripieno di cioccolato per Pietro.

Non manca mai nemmeno nei suoi ricordi, la Bomboniera, le praline di gelato alla panna ricoperte di cioccolato che mangiava al cinema con papà, quando erano ragazzi, o il tronchetto gelato di *Euclide* – alle creme e alla frutta – che non è mai mancato sulle tavole a buffet dei sacramenti. Il gelato era il suo momento di pausa pomeridiano dal negozio di papà: «Vado a prendere una coppetta da Piero», e si allontanava, per tornare dieci minuti dopo festosa come una bimba con una scatolina di cartone piena di gelato al caffè con panna e due cialde sistemate sopra.

Ora però non lo mangia piú, ha fatto un fioretto. È il suo modo per dirmi: «doveva capitare a me». È il suo modo per dirsi: allora rinuncio, nostro Signore in cui non credo, rinuncio affinché lei non peggiori, affinché la malattia resti quieta e non si svegli.

Rinuncio perché è questo che fanno le madri. Le madri si sacrificano.

Ci penso ogni volta che Pietro chiede un gelato e io le dico: – Te che gusto vuoi? – e lei mi guarda dallo spazio di uno sforzo, col sorriso arrendevole di chi sta perfettamente aderendo alla maternità. Il sorriso che dice: io mi privo, dunque sono madre.

E io capisco di averla guardata – o meglio non vista – con occhi di figlia, quelli presbiti che dànno l'amore per scontato.

Ad agosto ho preso un foglio e ho scritto il nome di mia madre, Daniela, e di nonna, Rita. Il lato dell'asse materno. Dall'altro ho disegnato quello paterno, il nome dell'altra mia nonna, Maria, e di sua madre, Antonia.

In fondo al foglio due linee oblique che portavano a un altro nome proprio, il mio. Qui c'è Francesca.

Ho unito i loro nomi in verticale cercando un segno che rendesse comuni quelle vite distinte, e l'ho trovato. Ognuna ha appreso di essere donna attraverso una mancanza, un gelato di cui si era privata.

I gusti: un lavoro lontana dai lacci familiari che potesse garantire l'autonomia di un «no», di un «decido io», di un «si fa a modo mio». Il patrimonio paterno per assecondare un amore seducente ma sfaticato. Una vita da casalinga per assemblare il tempo in mille occupazioni aggiusta cuore. Una cura, prima di morire lasciando sei figli orfani.

Questa è la divisa delle donne che osservo: un atto di rinuncia, offerto per noi e per tutti, un sacrificio in remissione di una causa superiore, che per nome proprio non ha mai avuto il loro.

Disegnando le rette che si intersecavano nel mio nome mi sono domandata se fosse un altro messaggio in codice della gabbia, dell'immobilità potenziale della malattia, se cioè il corpo mi stesse dicendo di disancorarmi dall'infelicità di chi aveva mandato a monte sogni e desideri, sacrificandosi.

«Espugna il tuo futuro. E liberalo dalla mancata realizzazione di altri».

Forse il messaggio cifrato dice questo.

La scorsa estate, mentre camminavo lungo il sentiero che porta a Scoglio di su Brecconi, a Tertenia, in Sardegna, salendo e scendendo scogliere su ciottoli appuntiti circondati dal ginepro, ho pensato a una frase che scrissi anni fa, era la fine degli anni Novanta, su uno dei miei diari: «La famiglia è quella cosa che ti impone di non allontanarti dalla riva mentre tu hai già raggiunto l'altra sponda».

Pietro camminava da solo due metri avanti a me, affatto fiaccato dal caldo e ansioso di raggiungere le cale sottostanti. Mi ha detto: – Mi aiuti?

Non ricordavo la ragione di quella frase scritta sui diari di ragazza, quale crisi momentanea avesse ordinato una sillaba dopo l'altra le parole che la componevano, quale scelta non condivisa avesse reso me, mio padre e mia madre una volta ancora antagonisti.

Sapevo però che è l'altro modo che possiedo per dire famiglia. Che lo combatto, muovendomi, a un tempo rancorosa e riconoscente, nelle vite di chi, pur amandomi molto, mi ha amata male. Mi è tornata in mente quella frase e istintivamente ho detto a Pietro: – Ce la puoi fare da solo, sei bravo.

Lui ha stretto i pugni in segno di dissenso, ha detto: – Mamma, *mi ero stancando*, non ce la faccio.

– Certo che ce la fai, – ho detto io e siamo andati avanti, un passo dopo l'altro camminando sulle pietre che, consumate dal vento e dal tempo, sono diventate scalini naturali.

Quando abbiamo raggiunto la cala ho portato Pietro a nuotare.

Volevo arrivare fino allo scoglio distante qualche decina di metri, che poi è un'isola, non uno scoglio, Pietro mi chiedeva: – Mi porti lontano con te? – E io guardavo la riva che si allontanava e il moto delle nostre gambe farsi spazio nell'acqua, ci tenevamo per mano, lo incoraggiavo, prova da solo, ce la fai, lo vedi? E vedevo tutto, trasparenza e cristalli di luce, una manciata di schiuma a ogni bracciata, il suo pugno frettoloso a liberare gli occhi dal sale finché si è stancato e mi ha detto: – Mi aiuti a tornare a riva, mamma? Non riesco da solo.

Il mare è diventato livido, guardavo i piedi toccarsi a ogni gambata.

Pensavo: sarà sempre cosí? E per quanto ancora? Che madre è una madre che ti promette l'altra sponda senza essere certa di potertici accompagnare? Che madre è una madre che raggiunta l'altra sponda può non saperti riportare a riva?

Quando siamo tornati indietro mi sono arrampicata su uno scoglio, ho guardato l'isolotto da lontano e Pietro da vicino. Vado a nuotare, ho detto. Pietro voleva venire con me e gli ho spiegato che, a volte, famiglia significa lasciare andare la mamma e il papà che hanno voglia di fare cose da soli.

– A te cosa piace fare da solo qui al mare?
– Giocare ai supereroi sui sassi.
– A papà?
– Pescare col fucile sott'acqua.
– E a mamma?
– Nuotare da sola la sera e la mattina.

E cosí sono andata, ho raggiunto l'isola a stile libero e mi sono seduta su un sasso.

Avevo l'impressione che ci fosse una guardia a seguirmi, l'ombra delle parole del diario.

Pietro era su un altro sasso ma distante.

Continuavo a non ricordare la ragione della frase appuntata sui diari di ragazza, «la famiglia è quella cosa che ti impone di non allontanarti dalla riva mentre tu hai già raggiunto l'altra sponda», ma avevo chiara l'impronta del dolore che l'aveva generata.

Vedevo riflessa nell'acqua l'immagine dei miei genitori seduti alla destra – mio padre – e alla sinistra – mia madre – del mio posto a capotavola, sul tavolo di marmo della nostra cucina.

Vi rendo tutto, ho detto a voce bassa.

Vi restituisco i patimenti di cui mi sono fatta carico e li oltrepasso, nuotando a rana, lo stile che da sempre preferisco.

La rinuncia è stata il freno della mia vita, l'esempio che le donne mi hanno dato, è stata il loro sacrificarsi per gli altri, sacrificarsi anche per me.

Ho pensato alla retta di destra e di sinistra, le donne di madre e le donne di padre e tornando a riva le ho oltrepassate. Consegnando loro gratitudine e perdono, e a mio figlio, se non la promessa che potrò sempre riportarlo a riva, la memoria di averlo fatto una volta almeno.

Dove vanno a finire le parole quando le abbiamo perse?

L'oblio è la verità della memoria.

FELICE CIMATTI, *La fabbrica del ricordo*.

Sono in una stanza con tre colleghi, voglio dire «tollerato». Voglio pronunciare proprio quella parola: «tollerato». Quella e non un'altra, ma non riesco. La uso di frequente, era lí pronta tra il diaframma e il palato, di colpo si è nascosta e io non so dove andare a cercarla. Non evoco sinonimi, non cerco un modo per sostituirla, voglio lei. Non la trovo da nessuna parte.

Un unico pensiero mi assilla: dove sei finita?

Riavvolgo il nastro di nove mesi.

Sono seduta a un tavolo del *Caffè delle Arti*, alla Galleria nazionale d'arte moderna a Roma, con una persona cara. Cerco un evento. Possiedo il sentimento del ricordo. Ma non ne ho piú memoria. Non ci sono piú i dettagli, gli odori, le circostanze. Sostituiti dall'oblio che cospira contro di me.

Il ricordo, come la parola «tollerato», si è nascosto da qualche parte.

La malattia può essere cosí. Colpendo il cervello e il midollo spinale non compromette solo percezione e sensibilità, ma anche le funzioni cognitive, l'attenzione, la capacità di elaborare informazioni.

Cerco una definizione scientifica. Cosa fa, cosa *può* fare, la malattia alla mia mente?

Leggo: «Le funzioni cognitive compromesse piú frequentemente nella sclerosi multipla sono la memoria, l'attenzione e la velocità di elaborazione delle informazioni e le funzioni esecutive, invece le funzioni che rimangono generalmente integre almeno all'inizio della malattia sono il linguaggio, la memoria semantica e l'intelligenza generale». Memorizzo solo: «almeno all'inizio».

L'esperienza di una patologia può diventare un percorso di rivelazioni. Una di queste, per me, è stata domandarmi cosa faccia di una persona un malato, agli occhi degli altri. E in cosa consista la dignità di un disturbo che non si vede. La sedia a rotelle ti fa malato, le stampelle ti fanno malato, il bastone ti fa malato, cosí come la cecità ti fa malato. Perché la sedia a rotelle, le stampelle, il bastone e la cecità si vedono. Spingono la persona, diventata paziente, in una griglia che facilmente la contiene e la spiega. Sei infermo, degente, disabile: se il guasto c'è deve essere evidente, se è abbastanza evidente sei piú che malato, ti trasformi in una vittima. E se sei una vittima, i sani ti riconoscono, ti compatiscono, ti tollerano, hanno pietà. Essendo commiserato puoi commiserarti a tua volta e su questo costruire un pezzo di identità. Cosí il danno finisce per coincidere con quello che sei.

Ma cosa sei, se il tuo danno non si vede?

La sclerosi multipla *può* essere anche la malattia dei sintomi invisibili, dei disturbi cognitivi, e dell'astenia, uno dei disturbi piú comuni, spesso tra i primi segnali a comparire. Astenia, lo dice la radice greca, *asthenes*, «privo di forza», non è solo stanchezza, significa che si riducono le capacità fisiche e mentali, che non si resiste piú agli sforzi come un tempo, che i movimenti non sono coordinati e i muscoli perdono carica e vigore, non reagiscono sufficientemente agli stimoli. Per l'astenia non ci sono formule, né farmaci. Può diventare cronica, tuttavia gli impedimenti che provoca non sono considerati invalidanti. Nel catalogo di segni e sintomi, l'astenia non vale un timbro, un'esenzione, una tutela. Niente.

È la malattia nella sua forma invisibile.

Su di me si accanisce a caso dopo la terapia, perciò ho imparato a prendere le misure col tempo modulandolo sugli intervalli delle mie iniezioni.

Oggi non è mercoledí, è il giorno dell'iniezione, domani perciò non sarà giovedí, sarà il primo dei due giorni di effetti collaterali invisibili.

Oggi mi buco la pancia. Domani e dopodomani non posso fare niente.

Di solito faccio la puntura di sera, la notte ho la febbre, il giorno dopo mi sveglio con un'emicrania che può durare un'ora o due giorni, a volte al mattino non riesco ad alzare il braccio o la gamba, né a parlare, né a tirarmi su dal letto. Vorrei giocare con Pietro ma non ho forza, cucinare e apparecchiare la tavola, ma non riesco a stare in equilibrio, vorrei leggere un libro, studiare, scrivere e rispondere al telefono, ma posso solo chiudere gli occhi e aspettare che passi, che faccia effetto l'analgesico, scavallare le quarantotto ore dopo l'iniezione, tempo in cui di solito si esauriscono le conseguenze del peginterferone beta-1a che scorre nel mio corpo e rallenta (almeno dovrebbe) la progressione della malattia.

È la *fatigue*.

Tu, malato, dici: Non ce la faccio.

Loro, i sani, capiscono: Poverino, è stanco.

Babele esplode.

Per spiegare gli effetti che non si vedono ho allungato la lista delle cose che temo di perdere. Ho paura di esse-

re guardata con pietà, ho paura che un giorno il sistema
sanitario collassi e non ci siano piú terapie per le malattie
croniche, ho paura di non sentire sui polpastrelli lo spesso-
re della carta dei libri, ho paura di dover chiedere a qualcuno in stazione se mi aiuta a salire sul treno perché io ho
un bastone da una parte e la valigia dall'altra e non ce la
faccio a salire tre scalini in autonomia, ho paura del bor-
bottio di chi dice «guarda quella, poverina» ma non vuole
farsi sentire, ho paura della cattiveria potenziale dei futuri
compagni di classe di mio figlio, ho paura che mio figlio
veda nella malattia una colpa e non un caso, ho paura dei
ricordi che si stanno malformando, ho paura di non ritro-
vare tutte le parole che ho perso.

Devo sforzarmi di ricordare o accettare di dimenticare?

Cerco una parola e non c'è. Voglio un ricordo, l'ho perso.
Sgomento. Pausa. Paura. Pausa.
Poi, il corpo a corpo con domande nuove.

La prima: perché abbiamo cosí tanta paura di dimenticare?

Mi impongo un esercizio di meccanica del ricordo. Ne
pesco uno a caso nella memoria.
Cairo, luglio 2013. Mi sveglio in un hotel di Zamalek.
Intorno la città protesta. Bevo un caffè sul balcone, stretto,
della sala comune. Ho con me un libro di Edmond Jabès,
*Uno straniero con, sotto il braccio, un libro di piccolo for-
mato*. Lo apro: «la somiglianza è in sé tradimento; perché
incoraggia gli altri a non cercare mai di conoscerci». Lo
chiudo. La proprietaria dell'hotel è una cristiana copta.
Si lamenta dei Fratelli Musulmani. Meglio i militari, dice.

L'eco delle proteste sta diventando un colpo di Stato. Mi raccomando, dice, stia attenta. Certo, sto attenta.

Scendo, sul muro dall'altra parte della strada una pubblicità di occhiali di Dior. La modella ha i capelli biondi, raccolti dietro la nuca, guarda in basso. L'insegna è ocra, come tutto, sa di polvere e deserto. Intorno, grovigli di cavi elettrici. C'è un bar. Di fronte al bar è parcheggiata una 127 verde oliva. Penso: chissà da quanto è lí. Mi avvicino. Una televisione trasmette una soap opera, la protagonista ha le palpebre truccate di blu, la forma dell'occhio marcata da una matita nera, simula un pianto. Mi fa sorridere. Fermo un taxi. Mi porta a Qarafa? L'autista ha il volto secco secco. Parliamo inglese, un po' a gesti, un po' a sorrisi. Qarafa? La città dei morti, dice lui, perché ci vuoi andare? Voglio vedere come vivono insieme i vivi e i morti. Ha vissuto lí, dice, quando era giovane e i suoi l'hanno cacciato di casa. Perché? Un errore di gioventú. Non dice di piú. Non chiedo di piú. Dormiva e mangiava in mezzo alle tombe. Per quanto? Ventisei anni. Se vuoi resto con te. Va bene, grazie. Ocra, tutto ocra. Polvere e deserto. Un uomo con la jalabiya bianca è seduto a terra all'angolo di un edificio. Il viso è sporco, la veste sporca, le mani sporche. Sul volto disegnata l'espressione di chi sta cercando di vedere qualcosa piú chiaramente. La fronte aggrottata, le spalle curve, le mani giunte. Giunte e giunchi. Mani di nodi. Ocra, tutto ocra. In una bottega un uomo soffia il vetro. Di fronte, un bicchiere di tè. Sento l'odore di cardamomo. Si vive bene con i morti vicino? *Nam*, sí, si vive bene con i morti vicino. Si vive in pace.

È successo davvero? È successo davvero cosí? Era il 2013 o prima o mai? Lo ricorderò ancora, domani? O perderò tutto di queste immagini, l'ocra, la polvere, il deserto, il vetro soffiato, gli occhiali di Dior, il fumo che esce dalla tazzina del tè?

Custodiamo i ricordi con una cura eccezionale. Li trasformiamo in parole, immagini, fotografie, filmini, superotto, oscillando di continuo tra l'essere protagonisti della nostra vita e diventarne testimoni. Vogliamo che niente ci sfugga, che ogni evento possa diventare cimelio. I ricordi sono le narrazioni che ne facciamo, e noi, tutti, vogliamo raccontarli. Vogliamo raccontarci.

Oggi la mia attenzione si muove a singhiozzi. La memoria ha le gambe rotte, forse resterà zoppa. Le parole, a volte, sono infedeli. Sono seduta alla scrivania e cerco i lemmi esatti. Voglio una parola precisa per la mia paura. Voglio quella esatta per il mio panico, quella, non un'altra. Voglio parole puntuali per i miei ricordi ocra del deserto, e non le voglio perdere. Voglio chiamare le cose per nome, lesioni «lesioni», tollerato «tollerato».

Le voglio insieme liberare e fermare prima che sia tardi.

Cimelio: la mia grafia.

Domando a matita sul taccuino: perché ho cosí tanta paura di dimenticare?

Rispondo a matita sul taccuino: perché la memoria è la mia storia, la mia storia è il mio passato, il mio passato è origine e destinazione.

Aggiungo e poi cancello il punto interrogativo:

È origine e destinazione?

È origine e destinazione.

Chiudo il taccuino, penso: forse dimenticare significa lasciare andare il peso di una Francesca che non c'è piú.

Per questo ho cosí paura.

Il cielo piú azzurro è il piú vuoto

TIRESIA   Ti sei mai chiesto, Edipo, perché gli infelici invecchiandosi accecano?

CESARE PAVESE, *Dialoghi con Leucò*.

Non credo in Dio. Da bambina a catechismo ero un'ascoltatrice scettica. Le ragazzine e i ragazzini con cui trascorrevo il mercoledí pomeriggio dalle cinque alle sei e mezza portavano in tasca una identica versione celestina tascabile dei vangeli e un quaderno foderato a righe da grandi, le righe di quinta. Avevo anche io i vangeli celestini, e un'etichetta bianca dimostrava che il libro era davvero mio: «Francesca Mannocchi, catechismo, 1989».

L'aveva scritto mia madre in stampatello maiuscolo, ignorando che quello non sarebbe stato solo l'anno della mia prima comunione ma anche quello della morte dell'imperatore giapponese Hirohito, della fatwā dell'ayatollah Khomeini contro Salman Rushdie, delle proteste di piazza Tienanmen, dell'album di esordio dei Nirvana, *Bleach*, e naturalmente della caduta del muro di Berlino.

Un'immagine di me: sono seduta sul divano di casa di nonna Rita, nella stanza che nei primi due anni di vita era stata la mia cameretta. Non capisco perché l'edizione straordinaria del telegiornale interrompa ripetutamente i cartoni animati. Il coraggio di Simone, eroina de *La stella della Senna*, e la ribellione sessuale e di classe di Lady Oscar e André, in *Lady Oscar*.

Aderisco tuttavia allo sbigottimento generale con partecipazione.

Le parole dei telespettatori, cioè della mia famiglia, mi sembrano commosse e tormentate insieme. Vorrei avere qualcosa da dire ma mi limito ad articolare domande da ottenne. «Perché prendono il muro a martellate?» e anche: «Farà freddo a Berlino?»

Voglio che torni Simone, mi piace la sigla: «Lungo la Senna c'è ormai chi combatte, il re tentenna, ma la gente si batte».

All'epoca i catechisti erano don Eulogio, che scelse il seminario per fuggire alla Spagna e alla fame franchiste e approdò a Prima Porta a metà degli anni Sessanta; suor Floriana, una donnina alta un metro e cinquanta che nella mia memoria corrisponde a: l'odore del brodo col dado nel corridoio della scuola materna, il balletto sul selciato dell'asilo per la festa del papà, il riposo a braccia conserte e testa piegata sul banco, appena finito di mangiare, che ci andasse o meno di dormire; e D., cosí devota a nostro signore che finí per sposare il prete della chiesa vicina e concorrente, sí, anche le parrocchie sono in competizione, lui si spretò, si unirono in matrimonio, ebbero due figli e divorziarono. La madre di D. da allora ha creduto piú nello Xanax che in Gesú Cristo.

I ragazzini e le ragazzine dei mercoledí alle cinque ascoltavano la parabola del fico che non dà frutti, della pecora smarrita, del ricco stolto, senza fare domande.

Luca 15, 4-7.

«Chi di voi, se ha cento pecore e ne perde una, non lascia le novantanove nel deserto e va dietro a quella perduta, finché non la ritrova? Ritrovatala, se la mette in spalla tutto contento, va a casa, chiama gli amici e i vicini dicendo: Rallegratevi con me, perché ho trovato la mia pecora che era perduta. Cosí, vi dico, ci sarà piú gioia in cielo per un peccatore convertito, che per novantanove giusti che non hanno bisogno di conversione».

Dissi a don Eulogio che non mi sembrava giusto. Non capivo perché andassero a cercare la smarrita per di piú cattiva e ribelle lasciando indietro tutte le altre. E non capivo proprio perché, dopo tutta la fatica, la pecora cattiva non dicesse nemmeno: «Ehi, grazie».

Quando facevo la saputella don Eulogio rideva e cambiava discorso.

O meglio, io avevo l'impressione che cambiasse discorso, in realtà lui stava raccontando le sue parabole.

«Sono arrivato a Prima Porta nel 1965, poco dopo l'alluvione. Avevo trentatre anni e poca fede. Mia madre mi aveva mandato al seminario perché non aveva niente da darmi da mangiare. I primi tre mesi a Roma, per aiutare la diocesi qui in periferia, sono stati terribili. Arrivai a settembre, e a Natale, tre mesi dopo, volevo tornare a casa mia. Il parroco mi disse: "Don Eulogio resisti, sono un po' burberi qui, ma è gente buona. Non andare via". Non andai via. Tredici anni dopo abbiamo inaugurato la Chiesa nuova».

– Non capisco, don Eulogio, che mi vuoi dire?

– Che prima sono diventato prete e poi è arrivata la fede.

Non so ancora se ho capito bene la parabola di don Eulogio, ma so che è la cosa piú intima che qualcuno mi abbia detto sul suo rapporto con la fede e con Dio, e me la tengo stretta in tasca da allora.

Dopo un po' i catechisti hanno smesso di farmi domande o chiedermi se avessi risposto al questionario sulle parabole assegnatoci il mercoledí precedente, avevo l'impressione che si fosse sancito tra noi un patto di non belligeranza, io non vi infelicito i mercoledí con l'incredulità, voi non chiedetemi di essere esaltata dal Credo in un solo Dio padre onnipotente, né emozionata per la prima ostia.

Quando mi mettevo in fila per il corpo di Cristo don Eulogio mi sorrideva come se volesse sollevarmi dall'intoppo, io mi avvicinavo, ci guardavamo complici.

Interpretai le fossette gentili dei suoi sorrisi come un'amnistia e non mi misi piú in fila per l'ostia. La mia nonna materna era delusa. Riteneva deplorevole la mia emancipazione dalla religione e finché è vissuta ha ribadito che ero tanto bella quando suonavo l'organetto in chiesa la notte della vigilia di Natale.

Gloria in excelsis deo era la sua preferita. Non la cantava, la gridava. Forse per dissipare il dubbio che il suo Dio non avvertisse lo zelo dei suoi decibel.

Don Eulogio, che era un sincero democratico, alla fine della messa ci faceva suonare *Happy Xmas* di John Lennon.

Sospetto che anche lui pronunciando «questo è il corpo di Cristo» avesse dei ragionevoli dubbi.

Una volta per giocare a fare la ribelle dissi in chiesa che non ero una da superstizioni. Frequentavo le scuole medie. Dovevo essere cresimata.

L'umanità che affollava la sala grande della parrocchia la domenica aveva su di me l'effetto che mi fece una cliente che mi precedeva dall'estetista un giorno d'inverno di qualche anno fa.

Disse: – Il martedí e il giovedí vado a buddismo.

Risi molto, credo di aver messo su, sentendo questa frase, la stessa espressione superba che montavo fuori dalla chiesa.

L'espressione che diceva: «Non sono una da superstizioni».

Poi l'anno scorso sono finita in uno studio di naturopatia, medicina olistica, medicina complementare, «percepi-

sci secondo natura» e educati al benessere fisico e menta-
le. Gli studi in cui ti insegnano che devi vivere in armonia
con i ritmi naturali del tuo corpo, natura e pathos. Sentiti
e ascoltati, ascoltati e percepisciti.

Interroga i sintomi. E solo dopo chiama la malattia
«malattia».

Mi sono seduta nella stanza di L. con la faccia che avevo alle cinque di pomeriggio mentre ascoltavo le parabole.
Lei mi guardava con la stessa intesa del prete di periferia.
Non voleva sapere niente delle alterazioni osservabili ai
raggi x, niente delle mie visite neurologiche, niente delle
mie medicine.

Però non voleva neppure sostituirsi alla mia terapia.

– Dunque è iniziata con una parestesia?

– Sí, non sentivo la parte destra del corpo. Quando provavo a stare in piedi vacillavo.

– E dimmi, quando è successo hai reagito con nervosi-
smo, freddezza? Ti sei sentita in colpa?

– No, L. Solo una resistenza. Ho memoria di una resistenza piuttosto fredda, direi.

L. mi ha chiesto di sdraiarmi, mi ha toccata a lungo.
Respira. Trattieni il respiro. Rilascia le gambe. Prova ad
abbandonare le braccia ai lati della lettiga. Apri gli occhi,
chiudi gli occhi, supina, prona.

– Ce l'hai ancora, la resistenza. Il tuo torace è davvero una gabbia. Non riesci a finire un respiro. Ti manca
il fiato.

– Ho il fiato corto, è vero. A volte mi sveglio in un tor-
chio. Penso che da un momento all'altro la pressione possa schiacciarmi sul pavimento.

L. ritiene che le tensioni del mio corpo siano antiche
e che il mio respiro rotto, il fiato corto, la pressa che mi
schiaccia al pavimento e raddoppia la gravità del mio pe-

so sulla terra, siano i sintomi di tutto quello che avrei voluto, dovuto dire e non ho detto. Tutto quello che avrei dovuto dimenticare, lasciare andare, e ho trattenuto. Mi dice: – Ti consegno domande, non unguenti. Non sono una guaritrice e tu non sei per me una paziente –. Ha capito che non mi piacciono le superstizioni quanto invece mi piacciono le domande, cosí me ne lascia spesso alcune da portare a casa, insieme alle tisane depurative al cardo e liquirizia e all'olio alla camomilla blu.

Qualche mese fa mi ha detto:

– Cosa non hai perdonato, di cosa non ti sei perdonata?

Mi sono congedata con un sorriso, dovevo recuperare Pietro a scuola.

Quando sono tornata, la settimana successiva, avevo fatto i compiti per casa, le ho detto che il perdono dovrebbe avere tempo presente, ma non riesco a declinarlo, il verbo perdonare, al tempo presente.

E che forse era tutto lí, il peso trattenuto, in un'indulgenza impossibile da praticare.

Pietro e la figlia di L. hanno la stessa età, spesso parliamo di loro.

L. ha avuto con la gravidanza il medesimo rapporto acre che ho avuto io.

Cosí a volte anch'io le faccio domande.

– Perché non ti riconoscevi nel corpo in attesa?

– Perché avevo l'impressione che non vedessero piú me, ma solo la bambina che mi stava dentro. Non ero L., ero l'attesa di mia figlia.

Non ero una donna, ero l'attesa di un altro essere umano. Quando lo disse pensai a queste parole come a un «finalmente». È sempre «finalmente» che penso quando le persone sostituiscono l'imbarazzo con la sfrontatezza.

Mentre scrivevo questo libro il mio ciclo mestruale si è interrotto per due mesi. Finivo di interrogarmi su mia madre, sulla vita e sulla perdita, sull'autorità e sul controllo. Scrivevo e il giorno dopo avevo la febbre alta, i capogiri, le vertigini.

Ho chiamato una neurologa: – Secondo lei è possibile che sto somatizzando?

Credo che lei abbia pensato: non sono una da superstizioni.

Non ho insistito.

L. sostiene di leggere il mio corpo, e che toccandolo e osservandomi – sono spesso curva, incrocio gambe e braccia in posizione di rifiuto, scatto appena mi si toccano le estremità – è chiaro che ho interrotto la conduzione nervosa di stimoli che non riuscivo piú a sostenere. Non volevo essere piú giudicata, malvista, fraintesa. Pensa che ho cominciato a essere il mio stesso impedimento.

Credo sia il suo modo di descrivere l'autoimmunità, il corpo Caino.

D'altronde, mi ha detto, la sclerosi multipla altro non è che una paralisi che procede a passi lentissimi, volevi impedirti di fare qualcosa, replicare quello che ritieni gli altri abbiano fatto a te.

– Cosa ti hanno fatto, cosa non riesci a perdonare?

– Non mi hanno vista.

– E tu, cosa ti stai imponendo di non vedere?

Si era fatta ora di andare.

In macchina, tornando a casa, ho pensato: Tiresia è cieco e onnisciente.

Il corpo non ha organi ma soglie

Scrive Gilles Deleuze che il corpo non ha organi ma soglie.

Ci penso ogni quindici giorni quando faccio la puntura di interferone sulla pancia.

L'interferone beta è la mia terapia. Un ago attraversa la pelle, inietta la medicina e io mi muovo sulla soglia, tra i limiti del mio corpo e il tentativo di oltrepassarli, la linea di confine che separa la conoscenza e lo sconforto, la zona intermedia dove tutto appare grave ma nulla è irrimediabilmente perduto.

Solo, qualcosa si è disperso: il mio futuro per come l'avevo pensato.

Per le iniezioni alterno la parte destra e quella sinistra dell'addome, cosí a ognuna tocca essere bucata una volta al mese soltanto.

Abbastanza perché i tessuti si riposino, non abbastanza per far sparire i segni di quella precedente. Perciò sulla mia pancia è disegnata la topografia del rapporto che ho con il mezzo che prova a contenere la malattia.

All'inizio non riuscivo a bucare la pancia (o le gambe o le braccia) da sola, avevo bisogno, senza inquadrarne razionalmente il motivo, che un altro mi sollevasse dall'atto della somministrazione.

È un altro che mi disinfetta la pancia con un batuffolo di cotone, un altro che toglie il tappo alla «penna preriempita monouso», un altro che dice «Sei pronta?», conta fino a tre, uno due e tre e poi inietta, pensavo.

Equivaleva a prendere una distanza, delegare, credermi ancora in un tempo in cui accade qui e ora, ma non accade *veramente* a me.

Poi ho capito che il momento della terapia è un momento intimo, e che quell'intimità convoca insieme un obbligo, una rivendicazione del corpo e una responsabilità. E ho capito che avrei dovuto essere sola nel farla, necessariamente.

L'ho capito grazie e nonostante le cure delle persone che mi amano, grazie e nonostante l'accudimento di Alessio che bucava la pancia al posto mio.

Perché il sano, per quanto amore abbia, sarà sempre non-malato rispetto al malato. E in un luogo oscuro, il malato non glielo perdona.

Il sano può bucare tessuti ed epidermide al posto suo, ma non potrà mai capire il sentimento di violazione e rigetto che si prova mentre viene iniettato un liquido biancastro per contenere una malattia che è impossibile da prevedere.

Così, una volta ogni quindici giorni, di solito quando Pietro già dorme e Alessio è ancora sveglio, tiro fuori la confezione della puntura dal frigorifero, la sistemo sul mobile in legno della cucina davanti ai fornelli aspettando che raggiunga la temperatura giusta, 25 gradi, prendo un antipiretico o un analgesico per prevenire i sintomi simil-influenzali con cui mi sveglierò la mattina dopo e mi chiudo in bagno, da sola. Sistemo la boccetta di plastica verde del disinfettante sul lato del lavandino, estraggo due o tre dischetti di cotone da passare sul lato di pancia che bucherò e stappo la puntura.

Poi, tutte le volte, mi guardo allo specchio e la mano destra trema.

Ho paura di sbagliare, ho paura di sprecare, ho paura di non essere abbastanza solida da non compromettere l'ago, ho paura che medicarmi non serva a niente, ho paura e basta.

Talvolta passo qualche minuto a guardarmi allo specchio, credo cercando tracce di quella che ero e traducendo i segni sul viso di quella che sono diventata, altre volte dura il tempo di uno scatto, un battere di ciglia, inspiro profondamente, lascio che la penna preriempita prenda qualche centimetro di rincorsa dalla pancia e poi la buco.

Segue un rumore di pochi secondi che indica lo scorrere del liquido, un rumore che procede a scatti veloci e metallici, finché non si ferma e sul retro della puntura appare una doppia spunta verde.

Significa che una volta ancora il suono si è tradotto in un'azione e 125 mg di interferone stanno viaggiando nel mio corpo.

L'ultimo sguardo al corpo riflesso nello specchio, prima di andare a dormire, e un pensiero, sempre lo stesso: sei un corpo traditore.

Perché mi hai fatto questo?

Avere una diagnosi significa avere diritto a un piano terapeutico, cioè un foglio, trascritto in doppia copia da carta carbone, che dura un anno e consiste nell'assegnazione di un medicinale i cui costi sono interamente sostenuti dal Servizio sanitario nazionale. Cioè dalla comunità nella sua espressione piú nobile, garantita, almeno in principio, dall'impegno costituzionale di progressività della tassazione.

Chi piú ha piú dà.

Chi piú ha piú contribuisce ai bisogni degli altri.

Il Servizio sanitario nazionale è nato nel 1978, io nel 1981.

Sono nata tutelata dalle conquiste di altri. Fino a quattro anni fa non ci pensavo, era un dato neppure acquisito, solo naturale. Non poteva essere, essere stato, altrimenti. Non pensavo a chi avrebbe provveduto alle mie spese mediche in caso di bisogno.

Ora so che il costo medio di ogni malato di sclerosi multipla è quarantacinquemila euro l'anno, cinque miliardi di euro l'anno complessivamente, per tutti noi. Poi bisogna sommare i costi intangibili. Chi rinuncia al lavoro, per esempio, un malato su tre, o chi ha bisogno di assumere una persona in casa che pensi ai bisogni primari, perché dopo un po' per alcuni diventa impossibile anche scendere un piano di scale e fare la spesa.

Ora so che i costi intangibili variano al progredire della malattia, costiamo diciottomila euro l'anno per una intensità lieve, ottantamila per un'intensità severa. *Ora so* anche che una delle unità di misura della nostra malattia è il tempo di una visita specialistica. Che varia a seconda di dove ci è capitato in sorte di vivere. Da quindici minuti a sessanta con una media di venti minuti a paziente. Se sei nato in un centro medio e piccolo la tua visita dura un'ora, se vivi in una grande città devi accontentarti di un paio di manciate di minuti.

Il giorno in cui la neurologa mi ha consegnato per la prima volta il foglio del piano terapeutico annuale ha detto: – Scrivo che sei affetta da sclerosi multipla, questo foglio serve solo per l'esenzione, mi raccomando, non devi vergognarti.

Non capii. Non mi vergognavo affatto. Di cosa avrei dovuto vergognarmi?

Essere malati non è una colpa.

A gennaio 2019 avrei dovuto fare la risonanza magnetica di controllo e tendo a farle sempre nella stessa struttura, Villa Santa R., cosí che ci sia uno storico della mia malattia da qualche parte.

– Dovrei prenotare una risonanza encefalo midollo e cervicale con e senza mezzo di contrasto, codice di esenzione 046.

– Niente da fare, riprovi a marzo.

– Come, marzo?

– Non ho piú posti in convenzione almeno fino a quella data.

Riprovo a marzo.

– Niente da fare, riprovi ad aprile per maggio.

– Dovete garantire i posti in convenzione, se nel frattempo la malattia è peggiorata?

– Sí, vero, ma sono finiti, sa, i tagli alla sanità. Se vuole può prendere appuntamento per una risonanza magnetica privata.

– Costo?

– Novecento euro, eccezionalmente per lei, che fa qui tutte le risonanze in convenzione, settecento. Se vuole c'è posto anche domani.

Se paghi, il calendario non esiste.

Nella voce della centralinista della clinica c'era quello che nel tempo ho battezzato «il fastidio dell'esenzione». Rispondono, capiscono che hai un codice che ti solleva dalle spese e sospirano. Nel sospiro, nascosta, c'è la seccatura: «Ecco un altro di quelli che non pagano».

Da una parte del telefono la produttività della sanità privata.

Dall'altra parte del telefono io, la malata.

Ho capito in quel momento che cosa volesse dire la neurologa firmando il mio piano terapeutico, mi stava accompagnando nella condizione di minorità che si vive pensando di non potersi permettere la risonanza quando se ne ha bisogno.

E il senso di minorità arriva prima della consapevolezza dell'ingiustizia che stai subendo. Dovrei pensare: pago le tasse, la risonanza presto e a spese del Servizio sanitario nazionale è un mio diritto, non un capriccio.

Invece penso: non me lo posso permettere.

Questa è la vergogna.

Il catalogo dei vivi

Spezzare l'avversario oppure. Oppure
farne un alleato.

MARIANGELA GUALTIERI, *Caino*.

Un esercizio che mi impongo dal giorno della diagnosi
è provare a riconoscere lo sguardo dei danneggiati.

Una volta ogni due mesi se sono fortunata, una al mese
se non ci sono scorte a sufficienza per prendere due scatole, cammino fino alla farmacia territoriale del municipio
in cui vivo, a Roma, per ritirare le medicine.

Esco di casa con la copia del piano terapeutico, le cuffie nelle orecchie, canticchio per dieci minuti, il tempo
di raggiungere a piedi l'ospedale e guardo tutti, cerco di
intercettare i loro occhi, e provo a riconoscere i malati
come me.

Cerco una preoccupazione nelle rughe intorno agli occhi o intorno alla bocca, quelle ai lati delle labbra sono le
prime che vedi, perché i muscoli facciali smettono di sorridere e si arrugginiscono, provo a incrociare lo sguardo di
chi si avvicina all'ospedale, spio i fogli nelle cartelline per
vedere se somigliano al mio, classifico le buste e le borse
per il mio inventario della vergogna.

Chi ha la borsa capiente o arriva con le buste di nylon
strette in mano vuole nascondere le medicine, chi ha la
borsa piccina, o un borsello, o un marsupio non ha timore
che lo stigma si veda.

Nel dubbio, l'infermiera che distribuisce le medicine
ha un pacco di sacchetti, quelli di carta che si usano per il

pane, e indicandoli con un movimento degli occhi mentre impila le scatole delle terapie, chiede ai malati se hanno bisogno di nascondere.

Le malattie sono cosí, chiedono la fatica di sostenerle e la fatica di essere nascoste.

Negli anni siamo diventate buone conoscenti, l'infermiera e io. Per scrupolo porto con me il piano terapeutico, lei non me lo chiede piú, e mi chiama per nome.

– Ciao, Francesca.

– Ciao L.

– Dottore', possiamo dare due scatole a Francesca, cosí non torna il mese prossimo?

– Fammi vedere, non so quante confezioni mi sono arrivate questo mese.

La mia terapia si chiama Plegridy, ogni confezione contiene due iniezioni e costa 892 euro.

Dovessi comprarla, non potrei permettermela.

Per questo quando stappo la penna preriempita ho paura di sbagliare.

Costa a me, costa a tutti. Serve a me, serve a tanti.

Una mattina, un paio di anni fa, aspettavo il mio turno. Era una giornata piuttosto affollata, avevo il numero 82 e diciassette persone davanti. Stimavo un'attesa di un paio d'ore. Non è sempre cosí, non è cosí quasi mai, ma anche la coda è imprevedibile e avevo con me i quotidiani e un libro di racconti di Carver.

Al piano meno uno dell'ospedale, quello della farmacia territoriale, qualcuno parla della propria malattia, altri invece no. Qualcuno vive quel luogo come una catarsi perché a guardarci intorno, almeno lí, siamo tutti uguali. La voce degli altri in attesa mi affatica, cerco sempre di

schermarmi con gli auricolari e la musica, di solito scelgo
una canzone e premo il tasto repeat. Quando aspetto tendo a essere maniacale.

Vorrei non ascoltare i commenti alle trasmissioni tv
della sera prima, le lagnanze contro i politici tutti uguali,
e i reclami, signora mia, non c'è piú la sanità di una volta, provo a non sentire il ticchettare dei piedi che fanno
avanti e indietro nel corridoio e il brontolio di chi ha fretta pur non avendo nient'altro da fare.

Non voglio assecondare le lagne. Ignoro il rumore di
fondo. Con una sola eccezione: i nuovi.

Ai nuovi bisogna essere attenti. I nuovi non sanno che
il tempo non gli appartiene piú e arrivano smarriti, è vero, ma anche smaniosi. I nuovi hanno fretta. Bisogna che
si arrendano.

Quella mattina, un paio di anni fa, c'era una signora in
piedi davanti alla porta della distribuzione, «Non si può
andare avanti cosí», e bussava in continuazione.

L., l'infermiera, pregava di avere pazienza, c'erano dei
moduli da compilare per il paziente precedente, la pratica
avrebbe richiesto tempo.

– Vada a sedersi, – le disse, – come tutti.

La nuova è andata a sedersi il tempo di una ripetizione
della canzone che stavo ascoltando, tre minuti e sedici secondi, il tempo di cercare un'alleata di lamentela, signora mia non è possibile! Ha ragione, non è possibile! Poi a
passi decisi e indignati è tornata a bussare alla porta di L.

– Ma allora? Ma che deve fare uno per avere le medicine che gli spettano?

Ho spento la musica.

L. le spiegava che il medico della farmacia territoriale
stava contando la quantità delle medicine per il cuore di
una paziente, era una terapia nuova, era della fila A, quel-

li che prendono anche l'ossigeno, e siccome il farmaco era nuovo e molto costoso il medico stava valutando il prezzo per confezione, spalmato sui mesi.

La matematica richiedeva tempo. Ma la nuova smaniava: – Non si può andare avanti cosí, – e continuava a bussare, allargando il malcontento nella sala d'aspetto, come i cerchi nell'acqua.

Mi sono avvicinata alla porta della distribuzione e le ho detto: – Bisogna che faccia un patto con la rabbia, signora.

Lei mi ha guardato con fastidio, un'alzata d'occhi che diceva «Come si permette?» Pensava che in corridoio ci fossero solo alleati di sventura.

– Può capitare anche a me o a lei domani di fare i conti per vedere quanto costa la terapia.

Il fastidio cominciava a lasciare il posto allo scoramento.

Parlavo a ritmo lento ma severo. Avevo acquisito dei dati, negli anni, che mi rendevano né accogliente né ostile. Solo gelida, vagamente punitiva. Mi sentivo nel giusto.

Ero come la specializzanda che parlò a me, il giorno della prima attesa in reparto, che poi non era un reparto ma un corridoio. L'attesa di sei ore, seduta sulla sedia di plastica zoppa in compagnia di tutte le cose che non sapevo ancora.

Negli anni ciò che non sapevo l'ho imparato e ciò che ho imparato quella mattina lo stavo dicendo alla nuova.

– Siamo tutti uguali, qui, signora. Il tempo non ci appartiene piú, – ho detto, mettendo via l'intransigenza e sostituendola con una frase che di tanto in tanto mi piaceva ripetere come mi piaceva recitare a memoria le poesie alle scuole elementari, davanti a tutti.

Era una frase vanitosa, non tollerante.

La verità è che la tolleranza la impari un po' alla volta e io, ancora oggi, la maneggio a intermittenza.

Quando hai una malattia cronica e ti guardi allo specchio prima di medicarti sapendo che il tempo del medicamento non ha una scadenza, sai che il corpo ti ha teso un
tranello e senti che di lui non ti fidi piú.

Eri lí che passeggiavi e lui si è messo in mezzo a farti
lo sgambetto.

Ora sei steso a terra e nessuno ti rialza.

In questi anni ho imparato che per mantenersi in equilibrio con l'infedeltà del corpo, provare a perdonarla, e
accettare la malattia, si attraversano varie fasi.

Bisogna attraversare il rifiuto e la collera, scendere a
patti con l'ingiustizia, addentrarsi in una depressione cu-
pa, e poi, se il pieno delle tappe precedenti si è svuotato,
la persona può accettarsi per quella che è, o meglio per
quella che è *ormai*: malata.

Volevo spiegare questo alla paziente impaziente, quella mattina alla farmacia territoriale, dicendole che vivere
con una malattia è sempre scendere a patti con la rabbia.

In verità devono esserle sembrate parole vuote, scolla-
te dall'esperienza.

Era cosí. Erano parole destinate a me.

Era al mio corpo Caino che stavo parlando. Era della
mia rabbia che stavo parlando.

La rabbia del malato si esprime in parole semplici, vio-
lente: perché a me? Parole che a volte possono diventare
indicibili: perché *proprio* me e non un altro?

È una frase ingiusta, è lo scandalo della cattiveria quando ci riguarda.

Mentre ammonivo la nuova, quella mattina in coda,
volevo che guardandosi intorno anche lei lo pensasse e si
mordesse il labbro come noi per averlo pensato, volevo

che anche lei si vergognasse e che capisse che era tempo di spostare la direzione del vettore. Non era la farmacia territoriale, né l'infermiera che riempiva le buste del pane per nascondere le medicine, né la dottoressa che riempiva i moduli e faceva di conto, non erano loro ad avere colpa. Non era la colpa, il problema, perché non c'era alcuna colpa da attribuire o spartire.

C'era un corpo traditore che ci rende nudi allo sguardo degli altri.

La vergogna è questa cosa qui.

Ci rivela l'inesprimibile di noi, e ci rivela cosa siamo per gli altri, quanto valiamo nel catalogo dei vivi, ora che siamo guasti.

Ma lei non si vergognava ancora.

Quella mattina, nell'insofferenza della nuova in coda alla farmacia territoriale, avevo trovato una me che ero stata e non sarei stata piú.

Lei aveva trovato un'alleata di sventura.

La notte è illuminata di spine

Io e Pietro siamo andati in un museo, uno di quegli spazi accoglienti ideati e progettati a misura di famiglie moderne, biologiche e a chilometro zero, spazi montessoriani con programmi brillanti che liberano i talenti dei bambini e comprimono i sensi di colpa dei genitori. Teatro, marionette, creatività. Pietro era scalzo, in una mano un bicchiere di vernice e nell'altra il pennello. Di fronte a lui la parete, un angolo solo rimasto bianco da riempire e tutto intorno lo spazio colorato degli altri. A lui simili e da lui diversi. Lo osservavo, vigile ma distante, la posizione che – mi dico da quando è nato – si addice a un buon genitore, e all'improvviso ho pensato a una poesia di Ingeborg Bachmann: *Per Ingmar Bergman, che sa della parete*. Ho sorriso, pensando all'associazione di idee, «che sa della parete», a Pietro e ai suoi disegni, ai piedi scalzi sul tappeto di gomma, al pennello, alla tempera sui suoi jeans, alla *sua* parete e poi alla mia: i libri rifugio. Il mio tempo.

Che fine ha fatto il mio tempo?

Ho recitato a bassa voce i primi versi di quella poesia: «Ho visto la verità avvinghiata da un enorme serpente a sonagli e inghiottita da un enorme serpente che nel ventre la gonfia e lentamente la fa svanire, finire, lei divorata». Li ricordo parola per parola, mi sono stupita della memoria, guardando Pietro, alle sue spalle. Li ricordo ancora perché c'è stato un tempo in cui mandavo a memoria versi perfetti, e accatastavo sul comodino le pagine che disegnavano il mondo con parole che avrei voluto mie.

Che fine ha fatto quel tempo?

E allora quei primi versi sono diventati un suggerimento, un messaggio in bottiglia di un tempo che era stato e non è piú.

Quando è nato Pietro, nel viavai delle visite della clinica, è arrivata Claudia a trovarmi dalla Sardegna. Claudia vive una maternità sbilenca, sapeva che per me sarebbe stato lo stesso. Lo sapeva anche per me che lo ignoravo, ancora. Si è avvicinata al letto, io ero già in piedi a esibire la mia invincibilità, il corpo tronfio diceva: ho fatto anche questo, ho partorito con dolore, ho messo al mondo un figlio dopo quindici ore di travaglio, e ho riso, anche, e fatto ridere i medici e l'ostetrica e le infermiere, ho partorito dodici ore fa e guardatemi, sono in piedi.

Claudia si è avvicinata, meno entusiasta di me e del resto del pubblico presente, e ha detto solo: «Andrà tutto bene». L'ha detto col tono di chi sapeva che ero destinata ad attraversare campi di gioia e zone paludose del pentimento.

Sarei stata una brava madre? E com'è una brava madre? Lo volevo davvero, davvero io o diventare madre è un desiderio indotto?

Andrà tutto bene.

Claudia sapeva che nessuno avrebbe potuto farmi compagnia nei campi di gioia né aiutarmi a trovare il modo di uscire dalle zone paludose del pentimento.

Quella guerra lí sarebbe stata combattuta in un luogo spopolato.

Due anni prima, mentre parlavamo della sua maternità, mi aveva detto: «Quando nasce un figlio non è detto che nasca una madre».

Mi colpí, presi quella frase e la nascosi in un baule, come i vestiti che non metti piú, ma conservi lí, perché non si sa mai.

Quando è arrivata in clinica con un mazzo di gerbere rosse, si è guardata intorno respirando l'entusiasmo collettivo e avvertendo la mia inquietudine mascherata da esaltazione, ha preso in braccio Pietro e ha detto solo: «Andrà tutto bene».

Non ho risposto.

Da quando è nato Pietro ho di nuovo paura di volare, ho ricominciato a soffrire di claustrofobia, riconosco il principio di un attacco di panico dalla prima goccia di sudore freddo che mi sfiora la fronte. Chissà dove erano andate a finire, prima di Pietro, le paure poderose che mi avevano abitato a lungo e poi non piú e mi abitano di nuovo da quando vivere è diventato prendersi cura ogni giorno dell'esistenza di un'altra persona.

Mentre tornavamo dal museo e dalle tempere sulla parete Pietro si è addormentato. Ho guardato a lungo le sue mani, erano ancora sporche di verde e rosso e blu, aveva ancora addosso i jeans chiazzati di tempera e sorrideva gentile.

Mi sono fermata lí a guardarlo, lo faccio spesso quando si addormenta in macchina. Lo prendo in braccio, saliamo cinque piani in ascensore, io gli sussurro all'orecchio dei segreti inconfessabili a un bambino, gli racconto un frammento della sua mamma, l'amore e la vergogna.

Anche quella sera ho slacciato la cintura di sicurezza e l'ho alzata intorno alle sue braccia facendo attenzione a non svegliarlo, ho appoggiato la sua guancia sulla mia spalle destra e ho camminato verso casa.

L'ho sistemato sul letto, poi ho preso dalla mia libreria il volume con le poesie della Bachmann e ho cercato *Nella bufera di rose*.

Ovunque ci volgiamo nella bufera di rose,
la notte è illuminata di spine, e il rombo
del fogliame, cosí lieve poc'anzi tra i cespugli,
ora ci segue alle calcagna.

La paura della morte avanza tra i cespugli e mi segue
alle calcagna e l'esserino dal sorriso gentile disteso sul letto, con le mani chiazzate di tempera, respira e nel respiro
mi ricorda la vita – t'ho messo al mondo – e la morte, che
da quando lui è nato è piú prossima. Pietro mi insegue, è
insieme parete, verità e serpente. Mi insegna la cura se-
greta di ciò che si ripete, dei giorni tutti uguali, la cura di
restare che a volte pare prigione e a tratti lo è.

Non sarò mai piú sola, l'epifania dell'alba di quel febbraio, principio della mia gravidanza, non mi ha abban-
donato. Non mi abbandona.

Significava: stai per perdere il controllo del tuo corpo,
che prenderà spazio, sempre piú spazio cosí come un'altra
vita prenderà spazio dentro di te e in nove mesi la metterai
al mondo e non avrai controllo, da te dipenderà in tutto e
il tuo tempo, in tutto, da quella vita dipenderà.

Non so se in questi quattro anni sia nata anche una madre assieme a Pietro.

Me lo domando ogni giorno e domandandomelo non
fuggo dalla verità che bussa alla mia parete, per non farla
finire avvinghiata da un enorme serpente a sonagli. Cosí,
mentre guardavo Pietro dipingere lo spazio bianco del
muro, ho sentito un peso sul petto che è la libertà che sto
dando a mio figlio e la libertà che lui mi ha sottratto e ho
detto a bassa voce: andrà tutto bene.

Le parole sono azioni

Ho sofferto piú a non guardare che a guardare.

INGEBORG BACHMANN, *Libro del deserto.*

Inizio 2019, risonanza magnetica, conclusioni.
«Presenza di due nuove areole di *alterato segnale* in sede encefalica una a livello del ponte l'altra nella sostanza
bianca sottocorticale del lobo frontale di sinistra, quest'ultima con evidenti segni di danno di barriera».

Memorizzo: «due nuove».

L'appuntamento era fissato per le 11 di mattina. Digiu-
na e con l'esame della creatinina per il mezzo di contrasto.
– Andiamo?
– No, vado da sola.
Una prova di forza per tutelare l'intimità della mia ferita. La sclerosi multipla è il *mio* vulnus, la *mia* perdita.
Mia, di nessun altro intorno.
L'ho resa cosí mia che la difendo, e preferisco che rima-
niamo sole, nel nostro a-noi-due semestrale.
Quando sono uscita dal tubo magnetico, l'anno scorso,
la dottoressa che aveva condotto l'esame mi ha chiesto di
aspettare, e mi avrebbe letto il referto entro venti minuti.
D'altronde, siccome non c'era posto per avere un esame
in convenzione, e io ne avevo bisogno velocemente, alla fine
l'esame l'avevo pagato, nonostante il diritto all'esenzione.
«Venga domani, se vuole, domani c'è posto», mi avevano detto.

Pagai e se paghi, invece di aspettare dieci giorni, il referto che ti spetta lo ricevi subito.

Puoi sapere velocemente se la tua malattia si muove o riposa, se allarmarti oppure no, se attivare il protocollo per cambiare terapia o continuare a iniettarti interferone aspettando di capire come va.

Se paghi, il tuo esame non finisce in coda alla lista di quelli da refertare a tempo perso, il referto lo ricevi su carta plastificata, stampato a colori luminescenti, il logo della clinica è verde, il tuo nome e cognome cremisi, il testo del referto nero, e luccica. Se non paghi è in carta semplice, il testo in bianco e nero, la carta opaca.

Finito l'esame ho infilato i pantaloni della tuta, stretto il laccio della felpa intorno al collo, tirato il cappuccio dalle spalle alla testa per coprirla e mi sono seduta in sala d'aspetto.

Volevo sparire e proteggermi. Noi eravamo diverse dagli altri, lí dentro.

Mi guardavo intorno, non vedevo tracce di malattia. Tra una sedia trasparente in policarbonato e l'altra, un mobiletto con le riviste. Non c'erano settimanali scandalistici né gialli, un numero di «Domus» con riflessioni urbanistiche africane e la funzione dei videogiochi nell'identità dei ruoli, un numero di «Lusso Style», sottotitolo: «Italian luxury magazine», pezzo portante *Le tendenze per l'estate 2019 in tema di chirurgia estetica*, pezzo spalla un editoriale dal titolo: *Svegliamoci dal letargo, diamo valore al tempo*.

Risi: chissà che intende per valore, magari è di lusso anche il tempo, qui.

Infine un numero di «SurfStyle» dal titolo: *Surf and Sup Gear Catalogue 2019*. Poi una manciata di quotidiani.

Un paio di uomini in giacca e cravatta che potevano essere avvocati come procuratori sportivi aspettavano l'appuntamento per la fisioterapia, un ragazzo in attesa dell'ortopedico raccontava a qualcuno dall'altra parte dello smartphone una rovinosa caduta dagli sci in settimana bianca, signore di mezza età stringevano cuccioli di Bichon frisé o microscopici Chin giapponesi prima della visita Prevenzione donna progetto top over 50, il modo prudente per chiamare le visite preparatorie alla menopausa.

Anche i medici e gli infermieri corrispondevano a un codice estetico.

Camminavano a passi svelti nei corridoi, snelli come nelle foto promozionali, stretti in camici bianchissimi, come i sorrisi, larghi, vagamente artificiali.

L'efficienza esibita finiva per renderli somiglianti.

Li guardo, sono tutti uguali.

Seduta in sala d'attesa, tra me e loro un plexiglas, penso all'ultima visita in reparto, in ospedale.

Arrivo che non sono ancora le otto, è freddo, l'aria pizzica, accanto all'edificio principale stanno costruendo una tensostruttura per gli studenti, perché l'intero complesso è un ospedale universitario. Gli operai sono già al lavoro. Il rumore del martello pneumatico si confonde con quello dello spostamento d'aria della gru che fa le piroette sul cantiere. Nell'androne gruppi di specializzandi in camice, sneakers e stetofonendoscopio, e i pazienti spaesati dai dieci piani, quattro ascensori e venti reparti.

A sinistra le casse per presentare le impegnative, a destra il centro informazioni.

Neurologia: al piano meno uno le visite, al piano tre il reparto.

Inutile provare con l'ascensore, salgo a piedi.

Ci sono già due persone in fila per le infusioni.

Una dei due è una ragazza sui trent'anni, robusta. Ha le unghie molto lunghe coperte da uno smalto glitterato. Scrive compulsivamente sul telefono, dalla custodia grigia e rosa sbucano due orecchie a punta. La custodia del telefono è una coniglietta. Accanto a lei una donna che deve essere sua madre ma ha un'età indecifrabile. I capelli trattenuti da una coda. Sono crespi e il nero di un tempo si ostina solo sulle punte, il resto della testa è una trascurata scala di grigio.

La donna senza età indossa una maglietta in fibra sintetica a pois, sulle spalle un giacchetto scuro. Non ha trucco, né anelli o orecchini, solo un braccialino colorato al polso sinistro, li chiamavano i bracciali della fortuna quando eravamo bambini e al mare qualche giovane uomo o giovane donna di origine africana ci porgevano la mano con un mucchio di fili colorati dicendo: «È il bracciale della fortuna, scegline uno, bella».

Ricordai mio padre al mare, vicino Fano, chiacchierare con i ragazzi dei bracciali, in spiaggia. Parlavano dell'Africa e del deserto. Loro si fermavano sotto il nostro ombrellone prendendo un po' di fiato, poggiavano l'espositore di legno alla sdraio, c'erano appese le fasce batik, gli occhiali con le marche taroccate, i fermacapelli di legno, i cappelli di paglia che non erano di paglia ma di plastica. Mio padre comprava un braccialetto della fortuna, dava loro dei soldi. Mi diceva: «Lo vuoi?» «No, non lo voglio».

E lui o lei: «Bella, esprimi un desiderio». Sorridevo, imbarazzata. «No, grazie».

Mai creduto ai miracoli.

La ragazza sui trent'anni, in reparto, è sorridente. Sua madre legge uno di quei settimanali di cronaca nera con i titoloni stampatello maiuscolo giallo. – Hai capito? Lui aveva un'amante e insieme hanno fatto sparire il corpo, lo dicevo io che quello piangeva per finta.

Insieme alle riviste ha una busta di nylon. Intravedo la carta dei negozi di alimentari per i panini. Intravedo anche due bibite e una bottiglia d'acqua.

– Da dove arrivate?

– Palestrina.

Non hanno la macchina, per arrivare in ospedale, a Roma Nord, devono prendere un treno da Palestrina a Zagarolo, poi uno da Zagarolo a Roma Termini, poi la metro A da Termini a piazzale Flaminio, poi un treno da piazzale Flaminio a Labaro, poi un autobus da Labaro all'ospedale.

– Quanto ci vuole?

– Due ore, due ore e un quarto.

– A che ora vi siete svegliate per essere già qui?

– Alle cinque.

La ragazza con le unghie glitterate e il pranzo al sacco si chiama Mara, ha una sclerosi multipla piú aggressiva della mia e l'ha scoperto a ventisei anni. Faceva la commessa in un negozio di abbigliamento per bambini a Montecompatri. Dopo le prime due ricadute e dunque assenze, la proprietaria le ha fatto capire che forse era meglio se restava a casa a riposare. Non si sa mai, con le malattie.

Cosí da allora Mara non lavora.

Ha cambiato terapia, ora ne fa una di livello piú alto, viene in ospedale a Roma Nord per le infusioni una volta ogni quattro settimane.

Ha cominciato da quando i medici hanno realizzato che le punture di interferone non facevano piú effetto.

– Costa 15 euro venire qui con tutti quei treni, mica è gratis! 15 per due perché vengo con mamma che mi fa compagnia.

E ride, Mara.

Quando fai le infusioni dividi una stanza del reparto con altri malati come te ma diversi da te. Tutti seduti sulle poltrone bianche, una manica della camicia o del maglione alzata per fare spazio all'ago, e il liquido che scende, una goccia dopo l'altra, opalescente, incolore.

L'infusione ha una durata variabile, un'ora e mezza, due, ma bisogna essere in ospedale un'ora prima per le premedicazioni e restare un'ora o due per monitorare gli effetti collaterali.

Quindi per ogni ciclo di infusioni tra andare e venire, aspettare, essere premedicati, medicati e supervisionati ci vuole una giornata.

– Non mi importa del tempo, mi piace stare qui e parlare con la gente. Mi scoccia solo la febbre dopo, e la diarrea. Pensa che una volta non riuscivo a respirare dopo le infusioni, non stavo in piedi, avevo il capogiro. Ho provato ad alzarmi dalla poltrona e sono caduta come una pera.

– Poi è passata?

– Passata, insomma. Va un po' meglio, non sono piú caduta ma ho ancora la diarrea dopo. Ce li ho tutti, gli effetti collaterali, tranne la perdita di peso!

E ride, Mara, pure sua madre ride.

Gli infermieri e le dottoresse la chiamano per nome e soprannome. La chiamano Mara la chiacchierona, e in effetti ha una voce squillante. Quando ride è contagiosa.

– Prima mi portavo dei libri, i giornali. Poi ho smesso, mi piace conoscere le persone alle infusioni. Mica ci sono solo romani, e poi c'è tanta gente che fa lavori interessanti, ci sono i rappresentanti che stanno sempre in giro, pensa che una volta ho conosciuto qui una ragazza che faceva la modella, cioè faceva le fotografie per le pubblicità delle mutande e dei reggiseni, mi sono fatta raccontare tutto!

Io non lavoro piú allora chiedo agli altri quello che fanno. Tu, per esempio, che fai?
– Faccio la giornalista.
– Ammazza, bello.
– Sí, bello.

Mara la chiacchierona ha voglia di parlare. Io no. La voglio solo guardare. La voglio guardare ridere. Voglio osservare cosa fa e come. Voglio scoprire il segreto del suo buonumore. Capire come la trattano e come lei tratta i medici. Da dove arriva quella familiarità e dove porta.
Ma parlare no. Parlare non mi va.
Quando la chiamano per l'infusione dà un bacio alla madre, le dice: – A dopo, bella.
Cosí: «A dopo, bella». Penso: ho mai detto a mia madre «A dopo, bella»?
No, non gliel'ho mai detto.
Si avvicina alla porta del reparto, cancella il suo nome dalla lista ed entra.
Dopo un'ora e mezza entro anche io per la mia visita. Mara è nella prima stanza a destra. Ci sono quattro poltrone, sulle prime due una di fronte all'altra due uomini di mezza età, lei è su quella in fondo a destra, vicino alla finestra.
La quarta è ancora vuota.
Mi vede passare, dice: – Vedi, mi faccio mettere sempre qui, vicino alla finestra, cosí guardo il giardino!
Sorrido, la saluto. Mentre mi allontano dalla stanza la sento chiedere al paziente di fronte a lei: – E tu, che lavoro fai?

Penso: io le infusioni in ospedale non le voglio fare.

Mentre aspettavo il referto della risonanza magnetica, nella clinica all'avanguardia, pensavo a Mara.

Ai settecento euro che avevo pagato per l'esame. Alla fortuna di averli. All'ingiustizia di averli pagati. Ai quattro treni da Palestrina a Roma Nord, al pranzo al sacco e al coniglietto rosa che proteggeva il telefono. Guardavo i dottori, le dottoresse, i portantini e gli infermieri di Villa Santa R. pensando che da un momento all'altro sarebbero spuntate dal corridoio le telecamere, doveva essere il set di una fiction, qualcuno avrebbe di sicuro gridato: «Buona la prima», liberando me e tutti dall'artificio.

Invece no, continuavo a guardarli. Era tutto ingiusto e tragico insieme.

Chissà che pensano di noi, dei difettati. Chissà quanto valiamo nel listino dei vivi.

Quella clinica è cosí, ho pensato, i malati ci entrano solo incidentalmente.

Ero fuori posto, lo eravamo entrambe, io e lei.

La dottoressa mi ha chiamato dopo meno di mezz'ora, mi sono seduta nel suo studio di fronte allo schermo del computer che esibiva le mie macchie bianche. – La malattia è lievemente in attività, – ha detto e indicando lo schermo, – vede, queste sono le sue lesioni al cervello.

Ha detto cosí: lesioni al cervello.

Era la prima volta che le sentivo chiamare per nome.

Non ricordo cosa abbia detto dopo, il suono della sua voce è diventato un rumore blu, indistinto. Lei analizzava macchie e pixel, io pensavo solo: lesioni al cervello.

Dopo aver sistemato il referto, il cd e le lastre nella cartellina plastificata 60x80 ci siamo congedate.

– Arrivederci.

– Arrivederci.

– Torni a trovarci.

Torni a trovarci, come nelle boutique.

Ho attraversato il cortile, facendomi spazio nel dinamismo di medici e infermieri, le casse e gli altoparlanti a ogni angolo interno ed esterno diffondevano musica leggera, ho pagato il ticket del parcheggio, mi sono seduta al lato di guida, ho sistemato il referto sul sedile accanto al volante, mi sono guardata allo specchietto retrovisore e ho riso. Non sorriso. Riso.

Sono uscita dal parcheggio seguendo la linea delle curve che dalla collina della clinica scende lungo la via Flaminia, ho guardato il benzinaio dove lavorava mio nonno, e a voce alta ho detto: – Lesioni, nonno, vedi come suona bene, la verità.

Lesioni è assai più raffinato di placche attive. E poi mi corrisponde.

Benemale

Cercatemi e fuoriuscite.

AMELIA ROSSELLI, *Variazioni belliche*.

Pietro si sveglia di notte e chiama papà.

Quando inventa una nuova base dei supereroi con le costruzioni e riesce a fare le ali volanti simmetriche con i pezzi rossi, chiama papà.

Quando vuole essere imbozzolato in un asciugamano dopo la doccia e giocare al bruco nascosto da acchiappare, chiama papà.

Quando vuole fare le avventure nel bosco, le sfide in velocità, i salti giú per le scale, un tuffo dallo scoglio piú alto, le esplorazioni in bicicletta, Pietro chiama papà.

Ogni volta che lo racconto raccolgo uno stupore che diventa in fretta malcelato biasimo. In particolare sul volto delle donne compare una smorfia di compatimento che nasconde una condanna. Le sento bisbigliare, in genere esorcizzo con un: sí, il genitore primario è lui. Sorrido, un pizzico di superbia. Spero che avvertano l'acufene: che ne sapete voi?

Però, ogni volta, mi si spezza il cuore.

– Sembra che tu sia in fuga da Pietro, – mi ha detto una sera Alessio. Avevamo discusso di tempi e di tempo. Era in piedi sulla porta del soggiorno, io sul divano in fondo alla stanza. Ha cercato di interrare la frase successiva, quella che si dice per concludere, ferendo, una conversazione che

non lo è già piú, ma non c'è riuscito e l'ha pronunciata:
– Se ne accorgono tutti.

Pensava che lo sguardo degli altri, il loro giudizio condiviso sul canone inverso della mia maternità fosse il colpo di grazia. In effetti no, non lo è stato. «In fuga da Pietro», detto da lui, faceva piú male.

Non sono in fuga da Pietro, non lo sono mai stata. Sono stata e sono in fuga da chi, guardando le mie forme ammorbidirsi, voleva confermare l'immaginario di una maternità riottosa ma da ultimo disciplinata, invece incontrava asprezza.

Mi è impossibile segnare un prima e un dopo la diagnosi, maternità e malattia staffettano nella memoria biologica del mio corpo, ma posso nominare con vocabolario intimo quello che il coro chiama fuga.

Sono passati quattro anni da quando Pietro è nato, abbastanza perché le persone amate e quelle care comincino a dire la verità sulla madre che vedono quando ti guardano, sulla madre in potenza che ero in gravidanza, sulla puerpera che sono stata con i timbri freschi sul passaporto.

– Volevi liberarti della pancia, non ne potevi piú, – mi ha detto un'amica una sera a cena, col tono distratto, automatico con cui si elencano gli ingredienti dei pancake, o si commenta la recensione del critico taldeitali all'ultimo film di taldeitali. L'hai visto? Sí, ma chissenefrega.

– Volevi liberarti di quella pancia, – me l'ha detto mentre sfogliavamo vecchie foto e ne è spuntata una di me a Beirut, incinta di tre mesi. Con le mani trattengo la maglietta alzata sul seno per mostrare la pancia appena accennata. Ho già sul volto la morbidezza *tipica* del corpo in gravidanza.

Le labbra contratte, in posa. Gli occhi, dritti all'obiettivo, disorientati.

Se potessi dare un suono a questa fotografia sarebbe il gracchiare della puntina sul vinile, quando il disco è finito e l'asta dovrebbe alzarsi per tornare meccanicamente a posto. Ma si inceppa. E graffia.
Potessi dare un suono, direi che è distorto.

Volevo liberarmi? Forse.
Volevo liberarmi. È una colpa?
Lo sentite l'acufene? Che ne sapete voi?

È il corpo a dire la verità, è il corpo a chiederla. Quando è morbido eppure aspro, quando trasgredisce. Quando è distorto. Quando è inaccettato. È il corpo a fare luce sul come e sul perché. Molto anche sugli altri, perché non mente e rivela paure e intenzioni.

Ero incinta e mi sentivo un involucro, la forma che hai quando sei determinato da un altro. E quell'altro era mio figlio.

A chi «aspetta un figlio» (locuzione in cui la donna è *già* scomparsa, passiva, nella tela dell'attesa) corrisponde uno schema sacrificale, tendenzialmente asessuato, privo del diritto all'infelicità. Chi aspetta un figlio è comunque docile, finalmente risolto, grosso modo addomesticato. L'immagine materna è insindacabile.

«È come guardi il fuori che fa il dentro», avrei voluto dire alla mia amica, quella sera a cena. E, di nuovo, che riflesso nello specchio mentre ero incinta non vedevo un corpo che voleva liberarsi, vedevo un corpo di dubbi, che a nulla si sentiva destinato, da nessuno determinato e lo gridava forte.

Sapermi scritta dalla vita di mio figlio mi sembrava innaturale.

Come volare.

All'innaturalità del volo però penso solo quando sono seduta sull'aereo con le cinture allacciate, mentre mi affanno nell'evitare le hostess che spiegano come ossigenarsi in caso di ammaraggio e togliersi le scarpe coi tacchi e non agguantare i trolley dalle cappelliere in caso di depressurizzazione. All'innaturalità di un corpo chiamato a confermare le aspettative di altri e su questo radicarsi e consumarsi, invece, penso in continuazione.

Non volevo «liberarmi della pancia», volevo vederlo nato, questo figlio che mi ha dato durevolezza, ha dispiegato il tempo moltiplicandolo e mi ha donato l'antidoto alla morte.

Anzi di piú, non volevo solo vederlo nato, volevo vederlo nato e parlarci. Ascoltare le parole di pongo che crea l'intelligenza quando non è vincolata dall'aspettativa.

Pietro per me è nato l'anno scorso, da che mi parla di pensieri compiuti, e ci descrive. Da che si comunica e comunica me.

È il piú puro, fondativo, vedermi vista. Perché il suo sguardo non vuole circoscrivere. Pietro si limita a vedere, e poi mi resoconta.

Siamo fermi al semaforo, sono le otto del mattino, è settembre, lo sto portando a scuola.

– Sono stato buono ieri, mamma?

– Sei stato buono, sí, ma non cercare approvazione. Sei stato buono con me ma poco generoso con i tuoi amici. Devi condividere quello che hai. Capito?

– Ho capito.

(Lo dice quando vuole tagliare corto, ha imparato in fretta gli stratagemmi della leziosità).

– E io, invece, io come sono Pietro?

– Tu sei benemale, mamma.

– Che vuol dire benemale, Pietro?

– Vuol dire che a volte sei felice e poi sei triste.

Ha detto cosí, sei benemale mamma.

Il compendio di Francesca, sponsorizzato dai suoi quattro anni di saggezza, brevità e capacità di analisi al costo di una luce rossa che diventa verde all'incrocio tra via delle Medaglie d'Oro e piazzale degli Eroi.

In trentanove anni non ci avevo pensato.

Come stai? Benemale, grazie.

Come sei? Benemale, piacere.

Sto benemale anche stanotte, nel buio in cui Pietro si sveglia e chiama papà, ha sete e chiama papà. «Non voglio stare in cameretta da solo, posso venire nel lettone?», e chiama papà.

Il vocabolario intimo del mio rapporto con la maternità, da quando è mischiata alla malattia, dice che non riesco a trovare un punto di equilibrio.

Il filo dell'altalena mi porta all'impasto delle torte, le favole della buonanotte, le riflessioni al risveglio inzuppando i biscotti nello yogurt, la morale dei cartoni animati sussurrata nelle orecchie la domenica pomeriggio, poi il contraccolpo fa tornare indietro la corda al punto di distanza.

Lí la madre è frettolosa e distratta, rivuole il tempo che non ha.

Rivuole anche quello che non avrà.

Il coro, guardandola, vede una madre arida e in fuga. Lei gracchia ancora come la puntina sul giradischi.

Quella riflessa nello specchio, oggi, è solo una madre che deve riconfigurare uno spazio dove immaginarsi in mancanza di accudimenti.

Che madre sono se non ti accudisco?

Di piú: che madre sarò se *non potrò* accudirti, e non per mia volontà?

E oltre: è dunque solo l'imperativo dell'accudimento a fare di una donna una madre?

Anche stanotte e domani notte e quella dopo ancora Pietro si sveglierà, avrà sete e forse chiamerà papà.

Il coro penserà che è quello che mi merito, contrappasso della mia asprezza.

A me si spezzerà il cuore, come ogni volta.

E poi penserò che Pietro ha visto e sa che chiamare quando si ha bisogno significa, tra i due genitori, chiamare quello sano.

La lucidità è la ferita piú prossima al sole

Sono tornata a trovare il Dottore, lui al solito ha parlato poco.

Quando sono entrata nel suo studio, una giornata insolitamente calda per la stagione, i fogli che mi riguardavano erano già sul tavolo, i balconi esterni delle case vicine illuminati dai colori opalescenti del pomeriggio che sta per finire.

Mi ha lasciata parlare, ha lasciato che gli mentissi per un quarto d'ora.

– Ho tutto sotto controllo, riesco a convivere con i limiti della malattia e della terapia, è proprio vero che dobbiamo essere ottimisti, la scienza ha fatto progressi straordinari, ha saputo di quella ricerca sulla ri-mielinizzazione? Un giorno ci sarà una cura, non solo una terapia.

– Non ce la puoi fare da sola, Francesca.
– Perché non posso?
– Perché hai troppi pesi accumulati.
– Non ho mani pronte per l'aiuto.
– È presunzione non farsi aiutare.

Le sue parole erano accompagnate da un'inedita durezza.

Avrei voluto leggere tutti i fogli che mi riguardavano, ogni pagina di appunto, cercare la soluzione in mezzo alla sua grafia minuta, compatta, ordinatissima e trovare in quelle annotazioni, separate da lunghe rette nere che sancivano la fine di ogni incontro, la genesi della mia malattia.

Avrei voluto dirgli che sentivo che questa malattia mi somiglia, che quello che non so lo intuisco e che quello che intuisco è che ho costruito una gabbia intorno al mio corpo che mi sta braccando, mi sta dicendo di esprimere la paura.

Che mi sta facendo delle domande, anche: perché non ti liberi del controllo?

Perché non sai accettarti finita?

Mi sono sentita ingenua, scioccamente antiscientifica e un po' naïf, e non ho detto niente.

Il Dottore mi ha chiesto perché avessi voluto incontrarlo. – Ho bisogno di parlare di nonna, – ho detto.

Di sapere qualcosa di inedito su di lei, di dire a una persona che la conoscesse che non ho processato la sua morte, che ancora dopo un anno mi sveglio pensando di andare a trovarla, parcheggiare sotto casa, davanti al fornaio, sapendo che aveva già sbirciato il mio arrivo dalla finestra, ma citofonare lo stesso, Chi è? Sono io nonna, salire un piano di scale e trovare la macchinetta del caffè già sul fuoco.

Avevo bisogno di dimenticare il suo corpo consumato dal male, mangiato dal cancro e sentire parlare di lei da una persona che non fosse di famiglia, o almeno che lo fosse nel modo in cui si divide lo spazio e il tempo ma non il sangue.

Però sono finita a parlare di mia madre e mio padre, di quanto sia riconoscente a lei della cura che si prende di mio figlio per non farmi perdere di vista Francesca, di quanto non riesca a superare il dispiacere di un padre che non mi chiede se ho paura.

Gli ho detto che quando ho finito di trascrivere la conversazione con mia madre ho avuto voglia di vomitare e lui ha sorriso.

– Dici vomitare non dici piangere, sempre lo stesso problema con le lacrime.

– Piangere no, dottore, lo sa.

– Impara a cedere, Francesca, a chiedere aiuto.

– Cos'è l'aiuto, dottore?

– La lucidità che hai è l'aiuto.

– La lucidità è la ferita piú prossima al sole.

Poi ho cambiato discorso, ha cambiato discorso anche lui, mi ha raccontato un po' di nonna, di quando arrivava a lavoro sorridendo a passi zoppi, il tempo si è arreso, non c'erano piú i fantasmi né la severità dell'inizio dell'incontro, ho continuato a osservare i fogli sulla sua scrivania, curiosa ma distante, e in poco tempo mi sembrava appartenessero a qualcun altro, il Dottore mi ha accompagnato alla porta guardandomi con la comprensione e l'affetto che si devono a una conversazione sospesa.

Piango i morti anche da vivi

Io non scrivo perché tu sei morta. Tu sei morta perché io possa scrivere, fa una grande differenza.

ANNIE ERNAUX, *L'altra figlia*.

Ancora oggi, dopo tre anni, quando mi sveglio e penso a mia nonna, Rita, il desiderio, automatico, è vederla. Mi dico: vado a trovare nonna. Non ricordo che sia morta.

Per salvarne la memoria l'ho privata del tempo, destinandola a un'eternità intima.

L'ho trasformata in una sempreviva sempremorta.

Ho cercato una fotografia di cinque anni fa, un autoscatto.

Io e Rita. Sono malata e non so di esserlo. Sono incinta e non so di esserlo. La osservo, la giro, la capovolgo, copro il volto di nonna poi copro il mio, guardo un occhio poi un altro, le nostre rughe che finiscono per somigliarsi e fare mappa.

Mi accorgo che nel mio viso c'è una traccia della vita che nascondo e che non vedo. Il tempo la decodifica: la vita di Pietro è già nella morbidezza delle mie labbra, nello sguardo disteso e negli occhi privi di ombre. Rita guarda verso l'obiettivo, muove la mano sinistra come a dire «Attenta a te».

Me lo diceva sempre.

Rita è il passato con cui prendere le misure. Glielo dicevo sempre. Ogni volta che la vedevo cucire, ricurva sul marmo del davanzale, seduta davanti alla finestra che dava sulla strada principale del quartiere, sulle vite degli altri.

Guardavo i fili, gli aghi, il ditale d'ottone e il suo metro rosa, ormai sbiadito, e le dicevo: «Nonna, mi fai prendere le misure col passato?» Lei non capiva e continuava a cantare una vecchia canzone di Beniamino Gigli, «Mamma son tanto felice perché ritorno da te, la mia canzone ti dice che è il piú bel giorno per me».

Era la canzone preferita di nonno, diceva, e ogni volta pensavo che fosse un omaggio che lei gli consegnava da lontano.

Indossava vestaglie a fiori smanicate sopra le gonne e le camicie, per non sciuparle, i capelli sempre corti, velocemente ingrigiti e poi bianchi.

In casa sua c'era sempre l'odore dell'ordine degli umili.

Il pavimento lucidato di primo mattino, mai un granello di polvere sul tavolo del soggiorno, l'aria riempita dal calore denso della pasta frolla delle crostate, o dall'alkermes della zuppa inglese.

Divideva il calendario dei dolci sulla base dei nostri compleanni e delle nostre preferenze, per me dolci secchi, per mia zia il tiramisú, mia madre la zuppa inglese e cosí via.

L'espressione del dono per Rita era l'attenzione. In effetti, me l'ha insegnata lei, l'attenzione. Ogni amore, per lei, era singolare e ogni gesto era riflesso di quella singolarità: la macchinetta del caffè già preparata e pronta da mettere sul fuoco per la prima visita del mattino, il rumore dei ferri per lavorare la maglia, dritto rovescio, dritto rovescio, e una tuta di lana di colore pastello per ogni nuova nascita, la grazia con cui divideva la solitudine silenziosa della vecchiaia con tutti quelli che, piú soli di lei, bussavano alla porta di casa sua.

Cucinava tanto, al lato del forno c'era la Singer, la macchina da cucire, che ha smesso di battere il tempo del rammendo quando tutto è diventato piú economico dunque sostituibile e gli oggetti hanno cominciato a perdere l'incanto della storia. Era in cucina che ci riunivamo per il caffè e una fetta di dolce, le donne – tutte – della famiglia di mia madre. Rita è sopravvissuta a suo marito, alle due sorelle, alle sue amiche del quartiere, con cui divideva il casco casalingo per capelli, alle vicine di casa con cui prendeva il caffè alla pasticceria *da Luigi*, e alla fine è rimasta sola, con gli aghi, i fili, il ditale d'ottone, la foto di nonno sul comò della camera da letto, la gamba malata, i ricordi dei sacrifici di una vita, la sua famiglia – cioè noi – e la sua dignità.

Non voleva andarsene da lí. Come ogni anziano avrebbe voluto morire nella propria casa.

E quelle mura erano di certo cosa sua. Lo sono ancora.

Dopo la sua morte non sono riuscita a entrarci.

Nemmeno per il congedo che si deve al sentimento delle cose.

Nell'autunno di tre anni fa Rita ha cominciato a ricordare meno e ricordare peggio. Aveva scatti d'ira che si trasformavano in aggressività. Una mattina lanciò un bastone verso mia madre.

Mia madre e i suoi fratelli decisero che sola non potesse piú restare, cosí per alcuni mesi Rita ha vissuto qualche settimana con un figlio, qualche settimana con un'altra e qualche settimana con mia madre.

Essere una famiglia solida e sana – quella di mia madre lo è – spesso non è condizione sufficiente per attraversare la fatica di una mente anziana che si scompone.

La mente di Rita era diventata una mente mutilata. I pezzi erano frasi prive di inibizioni o frammenti di sguardi vuoti. Il tempo non era piú di sua competenza.

Era amata, ma ospite. Condizione inabitabile per la dignità degli umili abituati a cavarsela da soli.

Una mattina Rita e mia zia sono andate in ospedale per le analisi del sangue di routine, Rita aveva qualche problema al cuore, cosí a intervalli di qualche mese si svegliavano alle sei del mattino e andavano in ospedale. Volevano essere le prime. Quella volta però la visita stanò un cancro. Mia nonna aveva un tumore al fegato in stadio avanzato, metastasi ovunque, eppure nessun sintomo. Il cancro era arrivato e si era fatto strada velocemente dalla visita precedente, cinque mesi prima. Era uscita di casa con la tessera sanitaria, le riviste nella borsa e gli occhiali da vista. Tanto le bastava per riempire una manciata d'ore di attesa, aveva pensato.

Dall'ospedale sarebbe uscita solo per essere trasferita nell'hospice nel parco di Santa Maria della Pietà, a nord di Roma, in cui è morta tre mesi dopo.

Il luogo che un tempo è stato il piú grande ospedale psichiatrico d'Europa, trentaquattro padiglioni da cinquanta posti ognuno. Il padiglione degli epilettici, degli schizofrenici, dei dementi, quello dei criminali e quello delle agitate. A destra gli edifici per gli uomini, a sinistra quelli per le donne, divisi da una rete metallica, prima che, per effetto della legge Basaglia, l'ospedale psichiatrico fosse chiuso, definitivamente, nel 2000.

Il padiglione dove oggi c'è l'hospice è il numero 22, un tempo era destinato ai sudici.

Intorno, centocinquanta ettari di parco.

Dove prima c'erano i matti oggi c'è la coda per la Asl, i corridoi del mattino presto, giovani a passeggio col cane e meno giovani a prendere il fresco la sera, di tanto in tanto sui viali si incontrano i parenti di chi muore al padiglione 22. Si riconoscono perché sono sovrappensiero. A volte piangono.

La stanza di Rita era al primo piano, in fondo al corridoio. Sul muro, a sinistra della porta, un cartellino riportava il suo nome, accanto al disegno di una margherita gialla.

Nelle dodici settimane che ha trascorso lí prima di morire, ogni medico, infermiera, portantino che ha varcato la porta della sua stanza le ha sorriso chiamandola per nome.

– Come stai oggi, Rita?

In quei novanta giorni è stata ancora una persona prima di essere un corpo malato.

– Come sei bella, Rita, stamattina.

Il nome è un patto che si rinnova ogni volta, l'unicità di ogni essere umano.

Per questo anche io, qui, la chiamo Rita.

Un hospice non è un ospedale e si capisce dall'odore: i corridoi non sanno di disinfettante ad alcol, sui davanzali ci sono mazzi di fiori e vassoi di biscotti.

Gli hospice sono strutture sanitarie residenziali per malati terminali, in Italia sono trecento, tremila posti e anche per questi, per andare a morire cercando di soffrire il meno possibile, bisogna mettersi in lista perché non ci sono letti per tutti. La medicina in luoghi come questi non cura, protegge dalla sofferenza.

Come per i malati cronici, come per me, la medicina non guarisce ma contiene.

Nel caso di Rita conteneva il dolore. Iniezioni di morfina in un corpo che urla la fatica di morire, finché il corpo non ha piú forza di urlare né voglia di sostenere la fatica, e muore.

L'hospice non è solo il luogo dell'inguaribilità, è – almeno dovrebbe essere – il luogo della consapevolezza dell'inguaribilità. Chi entra ha un'aspettativa di vita inferiore a novanta giorni e sa – almeno dovrebbe sapere – che non uscirà vivo.

Ma l'hospice è anche uno spazio insincero e, nello spaesamento di un addio lento, mi è stato chiaro che la morte è un affare di chi resta.

Chi resta non vuole guardare in faccia la fine, perché la fine è un fallimento.

E allora la paura allarga le insicurezze, come quando si distendono le lenzuola ai quattro lati, prima di piegarle. La paura è una stanza vuota, in mezzo c'è il paziente, a combattere tra la coscienza della fine e la voglia di resistere un giorno di piú al conto alla rovescia, e ai quattro lati della stanza, a tenere gli angoli del lenzuolo, i sopravviventi, che fingono una salvezza impossibile perché non sanno nominare la fine, la mistificano, la tacciono e inventano la speranza per pensarsi tra i salvati.

Intorno a Rita è stato lo stesso.

Le conversazioni intorno al letto di un degente anziano servono ai vivi, chi sopravvive al male di un altro non ama la verità spudorata della morte, cosí la trucca con frasi incoraggianti: «dài, che oggi hai un bel colore sulle guance», «il dottore ha detto che hai passato una buona nottata, dài, ancora un altro sforzo e ti riportiamo a casa», «coraggio, mamma, hai fatto trenta, fai trentuno, che devi vedere i bisnipoti in prima elementare, mangia», e lei ha mangiato finché ha avuto pietà del nostro accanimento. Poi ha smesso, troppo il dolore, troppa la fatica, troppa la consapevolezza della fine di fronte ai «rimettiti, mamma, mangia, cosí ti riportiamo a casa». Sono i vivi che vogliono essere ingannati, sono i vivi che hanno paura.

I malati, no. I malati lo sanno, che stanno morendo, anche quando fingono per non far soffrire chi resta.

I medici hanno sostituito i pasti con le flebo, una la nutriva, una, nell'altro braccio, conteneva la morfina a rilascio prolungato che le moderava il male.

Rita è stata piú generosa di noi. È stata, come sempre, onesta e degna.

Finché ha potuto ci ha fatto credere di credere che sarebbe tornata a casa.

Un giorno, era marzo, stavo per partire per la Libia, sono andata a trovarla.

Per qualche minuto sono rimasta sola nella stanza con lei. Era domenica, dalla finestra alla sinistra del corpo disteso di mia nonna si vedeva il parco. Una grande magnolia brillava dritta accanto a noi, la luce era quella della primavera ai primi accenni, che procede a piccoli passi, timida, con pudore, finché un raggio di sole si appoggia sul davanzale e la luce invade la stanza, spudorata.

Sono qui, pare dire la primavera, sono qui, nonostante tutto.

Mi sono avvicinata al letto, il volto di Rita non era piú il suo. La pelle era gialla, il viso scavato dal digiuno, la pelle appiccicata alle ossa del volto e del cranio, come la buccia di un frutto dimenticato al sole, d'estate. Il respiro era un rantolo sempre piú lento e cavernoso. E poi l'inconfondibile odore del malato, l'odore acuto della carne viva che si consuma. Era un corpo che imputridiva. La morte marmorizzata e maleodorante.

Le ho preso la mano, le dita piccole e deformate.

Le ho detto: – Rita, ci siamo volute bene, vero?

Ha fatto cenno di sí con la testa.

Mi sono appoggiata sulle sbarre che circondavano il letto, ho avvicinato la bocca al suo orecchio e le ho sussurrato: – Se sei troppo stanca, vai.

Era l'unico modo che conoscevo per sollevarla dall'inganno di noi sopravvissuti.

Sono tornata da Tripoli dopo dieci giorni, ho chiamato mia madre per dirle che sarei andata all'hospice il giorno dopo, ero affaticata dal viaggio.

Rita è morta quella notte, alle tre e mezza.

La mattina dopo sono andata al padiglione 22, ho passeggiato un po' nel parco, sovrappensiero ma senza piangere, perché la camera mortuaria era ancora chiusa.

Ho aspettato che alle sette arrivassero gli addetti e ho chiesto loro di passare un po' di tempo lí, sola.

Cosí siamo rimaste un'ora insieme, io e Rita, nel sottoscala del padiglione dei sudici.

Dietro la sua bara un crocefisso e sulla parte destra del muro la riproduzione di un putto. Ho pensato che avrebbe riso all'espressione dolente del Cristo in croce vicino alla smorfia riuscita male di quel putto. E ho pensato ai putti di Palermo. Tutto torna, vedi, nonna?

La sua bara era modesta, lei era modesta. Era una morte che le corrispondeva.

Le ho parlato per un'ora. Le ho raccontato i segreti mantenuti da bambina che nel frattempo sono cresciuti, diventati fardelli, piante grasse che sopravvivono senza cura.

Le ho ricordato di quella volta quando giocavo a nascondino sul balcone a centottanta gradi che incorniciava e univa casa sua e quella di Maria, lo testimonia una foto, Rita mi ha appena raggiunto, è nel nero del suo lutto, io mi volto impunita verso l'obiettivo, ho un abitino di cotone rosa, è estate. Rido. La amo. Non mi sento scoperta, Rita non mi stanava, Rita mi sapeva.

Mi chiamava forastica. Sei forastica come i gatti, diceva.

Le ho detto: – Ti ricordi quel vestito, nonna? Era bello –. Ho aspettato che rispondesse, ma non ha risposto.

L'ho guardata ma non memorizzata, non volevo ricordarla a braccia conserte sul petto nel segno di una fede che non aveva se non per convenzione, non volevo ricordarla stesa nel faggio di una bara.

Non l'ho memorizzata ma non riesco a recuperare nessun ricordo in movimento, nessun ricordo tridimensionale, precedente al letto della malattia.

Non riesco a recuperare la sua voce, e non voglio farlo attraverso mezzi artificiali. Evito video, registrazioni vocali, vecchi superotto. La cerco da qualche parte, dentro di me, ma non c'è.

È sempreviva e sempremorta.

Trovare un criterio per superare la morte delle persone amate è la fatica quotidiana del dopo, quando il corpo è uscito dalla chiesa, i parenti hanno assistito a una funzione stanca di un parroco sconosciuto, il feretro è stato accompagnato al cimitero, sepolto, e i fiori bianchi sulla lapide fanno ombra alla data di nascita e morte. La sopravvivenza al dolore diventa una ginnastica che procede per salti a ostacoli, e gli ostacoli sono i ricordi. Per andare avanti i piú li trasformano in vuoti, si liberano armadi, si spostano mobili, oppure si buttano via, per cancellare la memoria di un futuro perduto.

Il dopo è un addestramento all'oblio.

Nel marzo 2020, nel marzo dell'epidemia globale, ho telefonato all'hospice.

Pronto, sí, sono Francesca Mannocchi, mia nonna è

morta con voi, vorrei venire, sí proprio in questi giorni, grazie.

Dopodomani, alle undici?

Va bene, grazie.

E sono tornata al padiglione 22, a vedere cosa resta degli spazi quando i corpi se ne vanno.

Nella stanza che era stata di mia nonna c'era Giorgio, sessant'anni. Tumore al colon.

Cosciente e consapevole che non sarebbe uscito vivo da quella stanza. Gli ho raccontato di nonna, lui mi ha detto: – Sa qual è la cosa peggiore qui? Non è tanto non avere piú molto tempo, è che quello che abbiamo non ci appartiene.

Gli ho risposto che anche quando di tempo ne abbiamo di piú non ci appartiene, perché spesso siamo ciechi, non guardiamo abbastanza l'orologio e non ci rendiamo conto che si sta facendo sempre piú tardi.

Ci siamo sorrisi come si sorridono i disincantati e sono andata via.

Mentre la guardavo nella bara, la mattina dopo la sua morte, le ho detto che avevo un solo modo di riportarla in vita, ed era la memoria. Le ho promesso che l'avrei raccontata.

Ti racconto Rita, le ho detto, ti racconto appena riesco a riannodare la matassa. Ho perso il filo. Aiutami a recuperarlo. Dritto rovescio, dritto rovescio.

Per questo sono tornata nella stanza in cui è morta.

Sono tornata a dirle: accetto che te ne sia andata.

Palliare significa in primo luogo coprire. Il pallio è un mantello. In medicina, come riporta il dizionario etimologico, palliare significa «guarire in apparenza, onde palliativo dicesi di un rimedio che ha la virtú di calmare temporaneamente i piú gravi sintomi del male».

Un rimedio che cura l'apparenza della malattia che non guarisce.

Il malato terminale vive in un tempo senza illusioni, il suo percorso è unidirezionale, e il suo verso è la fine.

Cosí il malato cronico, come me, vive in un tempo modellato sull'attesa di un imprevisto potenziale.

Non so se in questo ci sia il segno di un destino comune, il cancro terminale di mia nonna, la medicina che non cura, la morfina che copre e pallia le apparenze e la mia malattia, la sua cronicità, la sua incurabilità, il mio fastidio conseguente per tutto ciò che è formale, fittizio.

So però che i malati terminali e i malati cronici si somigliano e che il male talvolta scopre il tempo, lo svela. Con me, almeno, l'ha svelato.

Uscendo dall'hospice, tre anni dopo la morte di Rita, ho pensato all'odore della sua cucina nei giorni di Natale, il rumore della cappa che aspirava il puzzo di fritto, la pastella di farina e acqua ad avvolgere il baccalà, come da tradizione, un vassoio con le cose da portare via e uno per gli assaggi di chi il pomeriggio passava di lí, l'ho vista nella sua vestaglia a fiori rosa e senape, che si era fatta larga negli ultimi anni che le avevano rimpicciolito la figura.

I corpi sani sono spesso silenziosi, quelli danneggiati sono in grado di parlare, mi sono detta, mentre camminavo nel parco che era stato il parco dei matti, e ho pensato che la salute ci rende spesso inconsapevoli del tempo dei corpi, dei corpi nel tempo, e la malattia invece è in grado, nel patimento, di dare loro voce.

Rita era morta lí, in primavera, amata e vigile. E mentre moriva, per proteggerci dal dolore della sua assenza, ci ha accudito tutti.

Ci ha chiesto di non ingannare e di non essere ingannati.

Perché la malattia è bianca, e la morte pure lo è, e il bianco non si esprime per menzogne. Contiene tutto.

Mentre uscivo dal parco di Santa Maria della Pietà ho chiuso gli occhi e l'ho sentita, finalmente. Era la sua voce.

Mi ha detto: «Attenta a te».

Diario
Luglio 2020

Forse mi sono ammalata per chiedere di essere figlia. Vorrei, finalmente, essere figlia, sentirmi domandare se ho paura, riuscire a piangere e rispondere che sí, ho paura.

Il Dottore mi ha detto: «Si può perdonare chi ti ha messo al mondo e non poggia l'attenzione su di te. Le persone, Francesca – comunque siano fatte, che tu le ami e sia riamata o che tu viva con loro un conflitto – ti dànno il loro cento per cento. Cosí tuo padre. È un cento per cento che per te non funziona, ma è il massimo che può darti, solo che a te questo cento per cento non basta».

Il fucile giocattolo

Ogni cosa che appare, in virtú del suo apparire, acquisisce una sorta di travestimento che può
in verità – benché non necessariamente – dissimu-
larla o deformarla.

HANNAH ARENDT, *La vita della mente.*

Qualche anno fa mio padre ha digitalizzato centinaia di fotografie della nostra vita. Stavo per scrivere comune, vita comune. Poi ho esitato e non l'ho scritto. Cos'è che faccia di una vita con altri una vita comune me lo chiedo da quando ho dato un nome al mio stare nel mondo, e l'ho chiamato estraneità.

Le prime fotografie sono dell'inizio degli anni Settanta, mia madre è una ragazzina bellissima, calze pesanti e vestiti corti, disegni geometrici su lana fitta.

Lo sguardo malizioso e verginale insieme. A fermare l'attimo mio padre, il segno distintivo del suo viso è la fossetta sulla guancia destra, fessura di un sorriso che non ha mai perso, un misto di vanità, seduzione e mitezza.

Una sola cosa è cambiata da quei sorrisi a quelli meccanici di oggi: la superbia di giovane uomo che si è trasformata in fragilità.

Gli album attraversano i loro anni insieme, il matrimonio, la mia nascita e la mia infanzia, le vacanze al mare sulla costa adriatica, ogni anno lo stesso posto, la nascita di mia sorella, la morte del cane Gimmi. E tutti i riti religiosi di passaggio vissuti come obblighi sociali.

L'espressione del mio viso via via piú aliena.

Immobilizzata in un vestito da Arlecchino o in quello della prima comunione, la bocca a semicerchio si atteggia a sorriso mentre gli occhi chiedono una fuga.

Il tempo sciupa le cose che non aggiusta, cosí, per sostituirsi agli dèi, mio padre ha trasferito la memoria analogica delle fotografie in un cd che ha chiamato *Come eravamo*, copiando il titolo del film di Sydney Pollack in cui Barbra Streisand ama, riamata, un giovane Robert Redford che rifulge di bellezza e poi fugge. Quando i due si congedano, in un abbraccio che sancisce insieme prossimità e impossibilità, parte la canzone tema del film, *The Way We Were*, che mio padre destina in una ripetizione di un'ora alle sue pellicole diventate pixel: «Memories light the corners of my mind», i ricordi illuminano gli angoli della mia mente. Sospetto che di quella canzone mio padre abbia sempre voluto sentire solo quel verso, tralasciando le domande successive, su cui si estendono i dilemmi: *se avessimo la possibilità di rifare tutto lo rifaremmo?* e tralasciando le frasi che avrebbero sostanziato il suo rapporto col detto e con l'omesso: *dimenticheremo quello che è troppo doloroso da ricordare.*

Nelle fotografie diventate video mi vedo appena nata, bruttina con tre chiazze in faccia, una all'altezza della fronte, una sul naso e una sul mento. Mentre spengo le candeline a due anni, mia nonna alle spalle, ancora nel nero della vedovanza. Poi scontrosa mentre cammino verso la stanza dove d'estate le donne delle famiglie allargate di tre condomini facevano le passate di pomodoro. Alcune pulivano bottiglie di vetro marrone, un cilindro basso e largo, o quelle di vetro verde, allungate e sinuose, con una minuscola spugna abrasiva, altre erano addette alla bollitura, pelavano i pomodori San Marzano e si occupavano dell'imbottigliamento, altre ancora preparavano il pranzo per tutti.

La passata di pomodoro era il rito della fine dell'estate che andava celebrato con la fatica femminile e la cura di tutti gli uomini seduti intorno alla tavola. Giorni che magnificavano una tradizione che si muove nel tempo al passo lento della cura. Se chiudo gli occhi la settimana in cui *si fanno i pomodori* non è un'immagine ma l'odore acre della bollitura, e delle mani delle donne, della loro sapienza antica, l'odore che esce dalla stanza, sale verso il giardino di mia zia, e arriva al terrazzo dove noi bambini facevamo finta di non vedere gli strappi tra quei pezzi di esseri umani che chiamavamo famiglia.

La stanza dei pomodori univa i balconi di casa delle mie nonne, la materna e la paterna. Rita, la materna, non aveva mai avuto una casa sua. Almeno mai sotto forma di proprietà. Ha vissuto in una casa che è stata di mio padre, e dunque dell'embrione della mia famiglia, e poi è diventata mia. Mia, almeno sotto forma di proprietà.

Sullo stesso pianerottolo l'altra nonna, quella paterna, Maria.

Erano due mondi dirimpettai che si annusavano, diffidenti, e convivevano con rispetto. L'altra nonna ha avuto i capelli corvini fino a poco prima di morire, a novantanove anni. Arrivava in chiesa mezz'ora prima della messa per sedersi in prima fila, era quella che strillava piú forte il Credo, il Padre nostro e l'Alleluia. Doveva mostrare e dimostrare, il soprabito col collo di pelliccia, le offerte e dunque la devozione. La voce alta per le preghiere corrispondeva ai bollettini postali per le opere pie, moderne indulgenze con le quali sperava di conquistare il perdono perpetuo per essere scappata via da ragazza con mio nonno, che era bellissimo ma donnaiolo. Era figlia di un possidente terriero, col tempo l'insubordinazione le è stata condonata ma mai del tutto perdonata. Cosí degli antichi fasti e dei possedimenti rurali a mia nonna restava un quadro appeso in salotto che la ritraeva bambina a cavallo nelle terre di suo padre, e la voglia di rivalsa. Si rifece col commercio e le palazzine. Era lei a vendere e incassare, mentre nonno coltivava e amava la terra, e insieme amava anche le donne. Ebbero sei figli, il primo morí a pochi mesi. Di quei figli mio padre è l'ultimo.

Maria era imperiosa e amava con cortesia, senza passione né dedizione. Non le ho mai chiesto la ragione di tanto distacco, non credo di averne mai avuto davvero curiosità. Quando è morta non ho sofferto. Dopo la morte non mi è mancata. Il lutto si è espresso nel compito riserbo che si deve a una scomparsa vissuta come tutto il resto, come un obbligo. Era arrivata l'ora di andarsene, e anche a quell'appuntamento si era fatta trovare solennemente preparata. Mi ha lasciato un naso storto e la curva delle spalle.

Saperle sullo stesso pianerottolo, lei e Rita, mi addolorava, questo sí. Bussare a entrambe le porte non era naturale per me, salendo le scale del palazzo l'istintiva destinazione era la porta a sinistra, quella di Rita. Fingere non mi è mai venuto bene.

Associo la vita di Maria al destino interrotto delle aspettative di mio padre, alle sue rinunce, perciò la sua presenza nella mia vita equivale a un perdono non praticabile.

Quando mio padre aveva diciassette anni voleva fare il pilota d'aerei, era intelligente, dotato. Invece abbandonò gli studi il terzo anno delle scuole superiori e finí a lavorare in negozio. A venti, dopo il servizio militare, fece domanda per entrare a Brescia nel corpo dei vigili del fuoco. Ma c'era bisogno di lui in negozio. A Brescia non andò mai.

Quando mio padre è rimasto schiacciato tra il cancello e il camion e ricoverato mesi, prima di Proviron, lei non trovava tempo per andare a fargli visita in ospedale.

Finché è stata in salute, ogni dicembre, visionava i libri contabili dei negozi. Finché è stata in vita, se qualcuno chiedeva a mio padre: «Come sta la tua famiglia?», la risposta, automatica, riguardava mia nonna, non noi.

Mio padre voleva fare il pilota e ha fatto il commerciante di mobili tutta la vita. Il tempo era scandito dall'apertura e la chiusura del negozio, dalle consegne, le misure da prendere, i preventivi da fare e fare accettare.

Delle aspirazioni lasciate andare lui non parla né io ho mai chiesto. I ricordi degli anni di scuola sono racchiusi in un'agendina di pelle che tiene in un cassetto del soggiorno, sopra sono appuntati i film visti al cinema, le recensioni abbozzate, e i piani per il futuro fatti con gli amici di allora che sono gli stessi di oggi.

Quando sono nata aveva ventisei anni. Sulle foto che ci ritraggono insieme nei miei primi mesi di vita io sono una rivincita e lui è solo un ragazzo. Nelle mie foto di bambina, quelle in cui è lui a ritrarmi, invece, sono sempre in posa. E sempre la stessa. Mi chiede di sedermi a terra, sulle scale, sul giardino di casa, sotto il salice, sul porfido dell'entrata, davanti al portone e di mettere una mano sotto il mento per sorreggerlo, e poi sorridere. Non sapeva che nell'atto di mettermi in posa c'era già il fondamento della crepa del nostro rapporto. Non stava vedendo me, non stava trattenendo Francesca sulla pellicola, ma l'espressione delle sue aspirazioni e dei suoi fallimenti. La famiglia allucinazione.

Era contento dei miei voti ma non me lo diceva. Non voleva solo che studiassi, voleva che fossi la prima della classe e io, obbediente, lo ero. A quel primato lui rispondeva talvolta sminuendomi. Accettava una figlia diligente, eccellente, nei risultati, non accettava la mia fantasia. Voleva che non studiassi in periferia e così studiavo nelle scuole

dei quartieri borghesi, ma non mi lasciava visitare i miei
compagni dopo scuola, troppo lontani. Chiamava i miei amici Tizio e Tizia. Un'avversione al nome proprio che è parte
della sua inclinazione al non nominare, della sua propen-
sione all'omesso.

«E che andresti a fare da Tizio e Tizia?» era una distanza e un disprezzo insieme. Giudicava senza conoscere. Sviliva per debolezza, non per disistima.

Ero la porta d'accesso a un mondo che gli era distante,
cui voleva fossi ammessa e da cui contemporaneamente
voleva fossi rifiutata. Cosí di scuola e compagni non parlavamo mai. Chiedere, ma ancora prima, raccontare della
mia vita e dei miei amici, equivaleva a mettere in conto
una sua espressione di biasimo che percepivo immotiva-
ta, perciò ingiusta.

Voleva che facessi di piú, ma fare di piú era comunque
non fare abbastanza.

Ero una ragazzina e non potevo sapere di essere per lui
uno specchio.

I miei traguardi raggiunti erano i suoi traguardi manca-
ti. Io tagliavo la linea di arrivo e lui mi guardava dai suoi
banchi di partenza che non aveva potuto abbandonare.

Mio padre non mi ha mai domandato: «Cosa vuoi fare
da grande?»

Voleva che mi emancipassi dalla vita di quartiere, ma al
liceo avrebbe preferito ragioneria: «Cosí a diciott'anni puoi
lavorare. C'è il negozio che ti aspetta», mi diceva. Sono
andata al liceo, mi sono laureata, faccio il lavoro che amo.
Non abbiamo mai parlato di un libro che ho letto, né, mi
pare, dell'oggetto della mia tesi. Ne ha qualche copia nella libreria. Non gli ho mai chiesto se propormi ragioneria
fosse solo una provocazione o se volesse far scontare a me
il suo abbandono degli studi. Forse voleva misurare la mia

forza, provare la mia determinazione. Forse non lo sa e basta. Oggi credo che il desiderio che ce la facessi, in lui, sia stato uguale e opposto al desiderio che fallissi. Oggi so che sabotare, spesso, è un gesto involontario.

Essere autonomi, per mio padre, corrispondeva a lavorare, dunque guadagnare, in sintesi al denaro. L'hanno educato cosí. Agisce di riflesso.

«Che ci fai con il liceo?» me l'ha ripetuto decine di volte. «Che donna vorresti diventare?» non me l'ha chiesto mai.

Ha lavorato tanto, ha lavorato duramente. Si è fatto piacere un mestiere che non amava e a cui l'ha costretto la famiglia quando si esprime nella sua forma peggiore: il vincolo del ricatto.

Di quel lavoro non voluto e infine amato porta i segni sulle mani. Al pollice della mano destra manca una falange, tagliata via dalla sega elettrica che usava per i lavori di falegnameria.

Non c'erano i cellulari, andavo al liceo, bussò la bidella: tua madre al telefono, tuo padre è in ospedale.

La professoressa di lettere interruppe la lezione e mi accompagnò. Papà era arrivato a Villa San Pietro con il pezzo di dito che mancava in un asciugamano. Un parente disse: «Succede se sei distratto». Risposi: «Succede a chi lavora».

Non ho mai compreso le sue rinunce. Ho sempre rispettato la sua etica.

Ha costruito una casa imperfetta e troppo grande, fredda d'inverno, calda d'estate, che da traguardo si è trasformata in legaccio. Le piante da potare, l'acqua al giardino, lavori e manutenzione. Lui la ama, io la soffro. Ogni mattone, quercia, porta, persino il colore della vernice delle persiane, mi sembra l'emanazione del potere restrittivo della famiglia sul singolo. Ogni cosa, in casa, è sacralizzata come le mie Barbie di bambina.

Risparmia ma accumula. Compra cose che costano poco, ma ne compra troppe. Troppe enciclopedie. Troppi soprammobili. Troppo grandi le stampe delle fotografie. Troppo grandi le cornici che le contengono. Troppo lucida la carta da parati. Troppi souvenir nella stanza dei ricordi dei suoi viaggi. Campanelle, tazze col nome delle città, t-shirt con le riproduzioni dei monumenti, piccole piramidi, il ponte di San Francisco, la Sagrada Familia, la teiera dei beduini, la moneta del Museo del Cairo, la foto di Castro a Cuba, i cappelli boliviani, i tappeti colombiani. E poi, sul tavolino al centro della stanza, il giradischi antico che non usa, i dischi che non ascolta, persino i vini che non beve.

Desiderare per avere. Avere per avere. Avere per desiderare ancora.

L'hanno educato cosí. I rapporti sono stati per lui un braccio di ferro tra punizioni e ricompense. Il denaro è stato unità di misura delle cose. Il lavoro è stato l'unità di misura del tempo.

È in pensione da tre anni. È giovane ma si sente piú vecchio della sua età. Come se non sapesse che fare del tempo che resta, lo consuma invece di viverlo. Semplicemente aspetta che passi.

Quando vuole fare un regalo, dona soldi. A me, in particolare, dice: «Farti un regalo è difficile, non ti piace niente». Ormai non ci faccio piú caso. Prendo la bustina e ringrazio. Oppure dico: «Grazie, la prendo poi».

Da quando ho avuto la diagnosi non abbiamo mai parlato delle conseguenze della malattia. Non mi ha accompagnato da un medico, a fare una risonanza magnetica, prendere un referto. Non mi ha domandato dei risultati delle analisi. Ha commentato con gioia le risonanze in cui la malattia è ferma e ignorato quelle in cui le lesioni sono attive. Non mi ha mai chiesto se ho paura.

Lui, di certo, ha paura delle parole. Se nomina, crea. Se non nomina, la malattia non esiste.

Un giorno sono entrata in casa dei miei genitori, era estate, faceva molto caldo, era primo pomeriggio. Mio padre era solo. Ho aperto la porta, lui era seduto in poltrona a occhi chiusi, le persiane serrate. La casa era buia.

– Cos'hai?

– Un'emicrania che non mi dà pace.

Segue elenco dei malesseri di stagione. Il troppo caldo, la bassa pressione, il nervo del trigemino, l'umidità.

Sopravviverai, dico per fargli male. Lo ferisco, infatti.

I miei occhi dicono furore e monito. Le gambe nervose dicono scappa. Il corpo smania per andare via, prima di esplodere. Mi sono ripromessa di non farlo più, dopo l'ultimo piatto rotto.

Muovo verso la porta più in fretta di come sono arrivata. Lui richiude gli occhi, sospira. Con un piede dentro e uno fuori dalla porta mi volto e dico:

– Ho trentanove anni, un figlio di quattro e una malattia neurologica potenzialmente degenerativa. Lamentati con chiunque, ma non con me.

Mi lamento io? No. E allora tu, perché lo fai?

Ha aperto gli occhi, mi ha guardato per qualche secondo. Addolorato lui, addolorata io, addolorato il tempo intorno a noi, il passato irrisolto, il presente irato, il futuro omesso. Ha detto:

– Perché sei più forte di me.

Ho chiuso la porta e sono andata via.

Invece avrei voluto restare e dirgli che non voglio essere più forte di lui. E non voglio essere più forte di nessuno. Che fare un regalo a me non è difficile. Prova a farmi un regalo, parlami. Non è vero che non mi piace niente, mi piacciono le parole. Sono sempre la figlia di Proviron, e noi siamo sempre due corpi e un'anima, come mi diceva da bambina rimboccandomi le coperte. E lo siamo anche ora, ora che le parole lo spaventano come la notte spaventava me, quando ero piccola. Ora che non nomina la malattia affinché la malattia non esista. Avrei voluto dirgli che provo a farmi bastare il suo cento per cento, però guardami papà.

Sono io la figlia.

E chiedimi se ho paura.

Ma non l'ho detto.

Mentre guidavo verso casa mia l'ho immaginato bambino, ho riportato alla mente il ricordo che spesso rievoca, lui a otto anni, al parco giochi, che chiede a sua madre un piccolo fucile giocattolo.

«Che ci devi fare con un fuciletto?» disse lei, negandoglielo.

Lo vedo triste, che non risponde né piange.

Su un altro asse del tempo c'è una me bambina, vicina a lui bambino, che risponde a mia nonna: «Giocare, ci devo giocare. I bambini devono giocare».

Non ho ricordi di mio padre che gioca con me.

Qualcosa nel suo volto è rimasto fermo, inchiodato alle foto di ragazzo. Un sorriso malinconico, una debolezza impossibile da gestire che traduce a volte in altezzosità altre in indifferenza. Gli occhi hanno sempre la luce di chi sogna, la luce delle coperte rimboccate, e *Buonanotte fiorellino* sussurrata nelle orecchie, di quando mi prende sottobraccio e dice: non dimenticarti di guardare le stelle, la sera, c'è tutto un mondo lassù.

Oggi quando lo vedo passeggiare con Pietro nel bosco, di giorno quando gli insegna i nomi delle piante e delle foglie, e di sera quando gli racconta i nomi delle costellazioni, il tempo si allarga e poi si piega in quattro, come le lenzuola di mia nonna, quando faceva il bucato del bianco.

Le incomprensioni sono chiuse ai bordi.

Quello che non è risolto è, almeno, in ordine.

Qualche anno fa, per Natale, gli ho regalato un fucile giocattolo.

Spiegel im Spiegel

Come facciamo a vedere? Come facciamo a sapere da uno sguardo che davanti a noi ci sta un libro o un gatto?

Sembrerebbe naturale pensare che recettori rilevano la luce che arriva sulla retina dei nostri occhi e la trasformano in segnali che corrono verso l'interno del nostro cervello, dove gruppi di neuroni elaborano l'informazione in modo via via piú complesso, fino a interpretarla e identificare gli oggetti. [...]

E invece no. Il cervello non funziona cosí. Funziona al contrario. La maggior parte dei segnali non viaggia dagli occhi verso il cervello: viaggia in senso opposto, dal cervello verso gli occhi.

Quello che succede è che il cervello *si aspetta* di vedere qualcosa sulla base di quanto è successo prima e quanto sa.

CARLO ROVELLI, *Helgoland*.

Custodisco la mia vecchia Polaroid in una scatola di legno in camera da letto.

È beige con le strisce arcobaleno al centro, sotto l'obiettivo.

La plastica granulosa è attraversata dai segni del tempo, qualche colore è sbiadito e qualche altro scurito dagli anni. Nella scatola conservo anche le fotografie stampate. Le guardo spesso. Nella riproduzione di pezzi di vita cerco un corpo che mi somigli, ma in ogni frammento minuscolo. Cerco la risposta alla domanda: in cosa quel corpo mi somiglia sempre, in cosa quel corpo mi somiglia ancora?

Indago quello che si è rotto, le esitazioni e gli inciampi delle prove che ho perso, gli uomini che ho desiderato e quelli che non ho saputo amare, l'astio di chi non mi ha saputo trattenere e le espressioni del perdono. Le mie sopportazioni, le vite arrivate tardi all'appuntamento e smarrite per sempre. Le vite fossili.

Una fotografia porta la data del 1999, il mio ultimo anno di liceo.

Sono invitata a una festa di diciott'anni. Indosso un abito lungo, nero, le spalline di strass. Il primo ricordo nitido è lo scollamento tra me e il vestito che ho scelto.

Volevo farmi notare da un ragazzo che mi piaceva.

Era tanto bello quanto diverso da me. Il suo mondo e il mio si misuravano nella distanza dalle nostre abitazioni alla scuola. La sua, cinque minuti in motorino da casa, in centro, la mia, quaranta minuti di treno extraurbano per arrivare dalla periferia. A me erano toccate le vacanze negli hotel tre stelle della costiera adriatica mentre lui passeggiava con sua madre nel Principato di Monaco. Aveva familiarità con il lusso ma non lo esibiva, era elegante ma senza sfarzo, parlava con le professoresse di ristoranti vicino al Teatro dell'Opera che io non avevo mai visto, non studiava ma riusciva, era astuto ma non calcolatore.

Quella sera, alla festa, mi ero sentita fuori posto tutto il tempo, l'entusiasmo degli invitati non mi apparteneva, li guardavo con un misto di disapprovazione e invidia. Tornai a casa ubriaca.

Mia madre mi venne incontro al cancello principale. Barcollavo come si barcolla quando hai bevuto troppo per fare la gradassa e sostenere la presenza degli altri.

Mi sdraiai sul letto, piansi e dissi solo: «Volevo essere bellissima».

Volevo essere come lui e non lo ero.

Volevo che i miei compagni, guardandomi, vedessero qualcosa di simile a loro.

Volevo che io, guardandoli, potessi vedere qualcosa di simile a me. Invece di simile non c'era niente.

Fu allora, in mezzo a compagni di classe a me estranei, che capii come a determinare la diversità fosse lo sguardo altrui, che ci racconta attraverso le categorie della repulsione e del desiderio.

È per gli altri che vogliamo essere perfetti, bellissimi, desiderabili.

È dagli altri che cerchiamo approvazione.

È l'altro che ci vede e vedendoci ci racconta, è l'altro a suggerirci chi siamo.

È lo sguardo, dunque, la gabbia?

Da quando ho la sclerosi multipla questo interrogativo combina la storia del mio corpo fin qui, la bambina mal vista, in posa, che sono stata, e gli effetti di essere trattata – da malata – con compassione, cioè il timore che la pietà possa finire per coincidere con me.

Voi mi compatite, allora io *posso* diventare un soggetto da compatire.

Come da ragazzina, sotto lo sguardo di mio padre: tu mi chiedi una posa, io mi metto in posa.

Tu mi chiedi una posa perché mi vedi perfetta, allora io *devo* diventare perfetta.

Come lo sguardo del ragazzo amato a diciott'anni.

Tu non mi vedi abbastanza bella, allora io *devo* diventare sufficientemente bella per meritare la tua attenzione.

Quando è arrivata la sclerosi multipla nella mia vita e il corpo si è manifestato nella forma che avrà per sempre – un prototipo che non ha funzionato – ho iniziato a domandarmi cosa sia l'imperfezione dei malati negli occhi di chi guarda. E ho capito che il difetto è uno spazio inospitale.

Il malato è vulnerabile, dunque respingente, perché il guasto evoca il timore della dipendenza.

Vale per gli anziani quando cominciano a portare addosso l'odore della vita al capolinea, vale per i disabili, che hanno bisogno di essere lavati, nutriti e interpretati, vale per i depressi che tingono di nero tutto quello che intorno a loro è inaggettivabile.

La malattia è un'amputazione e l'arto fantasma è l'autonomia.

È questo che pensano i sani quando vedono in noi la traccia della dipendenza. Pensano: «Un giorno qualcuno dovrà prendersi cura di loro. Speriamo non tocchi a me».

Lo sguardo degli altri quando siamo malati ci tiene in ostaggio. Siamo prigionieri della pietà, della commiserazione, del difetto che può diventare principio e fine della nostra biografia.

«Lei è quella con la sclerosi multipla, poverina».

I sani hanno bisogno di misurare i guasti attraverso una sintassi che li faccia sentire vaccinati. Inscalfibili.

Ci dicono poveruomo e poveraccia, e ce lo dicono sottovoce, ma non abbastanza da non essere uditi, mentre noi pensiamo di saper camminare dove non c'è pietà.

I sani hanno piú paura di noi.

– Ho un gran mal di schiena, sai, Francesca, non riesco a fare le scale.

– Penso che sopravvivrai, c'è gente che le scale le fa col bastone da vent'anni o che le sale col montacarichi perché è handicappato.

Silenzio.

– Sei cattiva.

– Che fatica con due ragazzini piccoli, sembra che sia entrato Attila, nella loro stanza, ci vorrà un'ora a rimettere in ordine.

– Ritieniti fortunata a poter mettere in ordine tu. Vuol dire che puoi muovere entrambe le braccia. Pensa a chi i figli non può toccarli perché è disabile.

Silenzio.

– Sei ingiusta, Francesca, sei cattiva.

Tante volte mi sono sentita dire che sono spietata, da quando sono malata.

La cattiveria del malato giace in questo, credo, vorresti contagiare le persone che hai intorno con quello che la malattia ti ha rivelato e portarle dove non ci sono maschere per la vergogna.

Dove siamo, tutti, smascherati.

Ho accostato una foto che mi ritrae prima della malattia e una recente, di qualche mese fa.

Nella prima la ruga che mi attraversa la fronte in verticale, al centro, in mezzo agli occhi, è meno accentuata, meno anche la zigrinatura di quelle ai lati degli occhi e, no, non è il tempo il delta tra quel volto e questo.

È un altro modo di sorridere che ho imparato, che mi affatica e scioglie muscoli diversi.

Oggi i muscoli laterali della bocca radunano un'espressione di statica quiete, rido sempre poco, ma rido meglio.

Quello che porto addosso ora è un sorriso che rivendica di essere guardato, che sceglie da chi e come, un sorriso all'ingiú, che esce di casa col vestito della festa. Un viso che sfida lo sguardo degli altri, come sfida la vergogna.

Riconosco i tagli perché conosco i coltelli

Sono le quattro del mattino.

Alessio mi dorme accanto. Il suo respiro, uniforme e denso, è il ritmo del mio istinto di sopravvivenza. Quando la notte mi sveglia, prima di aprire le palpebre, mi fermo ad ascoltare il suo respiro.

Io sono in alto mare, lui ha sempre pronto un salvagente da lanciare.

Mai mi farebbe male, mai vorrei farne a lui. Ha saputo stabilire un patto, non scritto, con la vita assieme a me: sa, anche se non lo afferra del tutto, che porto addosso una ferita antica, come sa che ferire è una delle forme dell'amore che posso dare.

Ascolto il suo respiro, poi apro gli occhi.

Le lancette della sveglia sul comodino alla mia sinistra battono i minuti che diventano ore.

So, come ogni notte, che devo usare il tempo della veglia, la sua solitudine buia, come un medicamento prima che inizi il giorno. Devo lasciare che la notte mi faccia le domande che deve, ascoltare quel vociare che mi bracca, avere paura, attraversarla una volta ancora ed essere pronta, quando sarà giorno per tutti, a nascondere la ferita e non ferire, apparecchiare la tavola della colazione con i biscotti al cioccolato per Pietro, il suo succo di frutta alla pesca nel bicchiere rosso, la crostata alle more e il caffellatte per Alessio, e una presenza indifesa allo stesso tavolo: la mia.

Sono le quattro, le lancette della sveglia sul comodino continuano a battere i minuti che diventano ore, guardo la sveglia e poi guardo il soffitto.

Lo faccio da che ho memoria di battagliare con l'insonnia.

Da bambina ho avuto a lungo un sogno ricorrente: partecipavo a una specie di corsa campestre, indossavo dei pantaloni corti di tessuto acetato bianco, chiusi da un elastico, sotto una maglia rossa. Gli altri bambini restavano presenze indistinte ai blocchi di partenza, poi il suono di un fischietto e la corsa che comincia ma, per me, non arriva mai a destinazione. Corro, corro, corro finché con i pantaloncini bianchi acetati, la maglietta rossa e i calzettoni al ginocchio arrivo sull'orlo di un burrone, lo spazio tutto intorno si fa nero, piú che buio, nero. E io mi sveglio.

È iniziata che avevo sette, otto anni ed è andata avanti cosí per tanto tempo: la paura mi rendeva immobile, a svegliarmi era l'urgenza di urlare di fronte al precipizio del burrone, l'urlo però restava ogni volta strozzato in gola.

Allora non avevo una sveglia sul comodino che batteva i minuti e le ore.

Al di là del muro alla sinistra del mio letto, il respiro di mia madre e mio padre. A pensarci ora non direi fosse rassicurante. Erano lí, tanto bastava. Sapevo che non potevano fare nulla. Pertanto non li ho mai svegliati, mai sono scesa dal mio letto ed entrata nel loro tenendo per mano la paura di morire, mai ho raccontato ai miei genitori delle mie ore notturne sul burrone, mi è stato chiaro dal principio che la ferita che mi procurava la notte sarebbe stata una battaglia combattuta in un luogo spopolato.

L'urlo soffocato mi svegliava e io mi limitavo a stare cosí, sdraiata sotto le coperte a cercare di decifrare le trac-

ce della luce del corridoio, che avrebbe significato mattina, dunque salvezza.

La bambina che sono stata, che correva verso il burrone,
è cresciuta ma continua a svegliarsi di notte con la paura
di morire aggrappata alle calcagna.

A differenza di trent'anni fa, però, non provo piú a urlare.
Oggi, quando la paura mi preme sul petto e mi ruba il
respiro, in uno scatto sono in piedi. Sgattaiolata via dalla stanza, chiudo alle mie spalle la porta della camera da
letto per non disturbare il riposo degli altri e mi muovo a
passi lenti verso la cucina.

Preparo il caffè, avvito la macchinetta, prendo la testa tra
le mani e sussurro la mia preghiera: basta, smetti, vai via.

E poi si placa, la paura, non perché diminuisca, ma perché in posizione eretta mi sento meno debole. Osservo il
mio volto riflesso sulla finestra della cucina e mi vedo ter-
rorizzata e fiera.

Mi tieni sveglia, paura, e mi trovi pronta anche stanotte, ti ho sentita arrivare da lontano e ho fatto in tempo a
indossare, di nuovo, tutte le armature che ho.

Fatti avanti, se hai coraggio.

Non le manca mai, il coraggio.

Stanotte sono le quattro e questo mi solleva, non manca
molto all'alba, Pietro si sveglierà, attraverserà il corridoio
con gli occhi ancora chiusi.

L'annuncio del risveglio sarà, come ogni giorno, il ritmo dei suoi talloni sul pavimento, passi che accelerano
all'avvicinarsi a me.

Arriverà, come ogni giorno, senza dire una parola, con
le braccia aperte a chiedere un abbraccio che trasforma il
nostro incontro in una pietà, mi inclinerò verso il suo collo, tenendolo stretto tra le braccia e incurvandomi finché

il naso non sarà perfettamente incastrato nell'incavo tra il suo orecchio, il collo e la spalla.

Non diremo niente per qualche secondo, poi Buongiorno amore mio, buongiorno mamma.

E poi, come ogni giorno, io mi sentirò benedetta e soffocata.

Non so se fossi felice quando ho scoperto di essere incinta, so che era quello che io e Alessio desideravamo, che da me e lui nascesse un unico singolare possibile, che da noi derivasse ma da cui non dipendesse la natura del nostro restare insieme.

Ho pensato a lungo di aver ricevuto in dote un naturale istinto all'accudimento, mi immaginavo madre di due, tre figli, tra loro magari una femmina che avrei chiamato Teresa, un nome antico che ha il sapore della terra.

Quando è arrivato Alessio siamo, in pochi mesi, diventati tre, facendo l'amore senza chiederci il permesso di invitare qualcun altro al banchetto della nostra felicità.

L'ospite è arrivato senza bussare, era iniziato da poco il 2016.

Abbiamo sorriso sul nostro tavolo verde, di fronte a un caffè e al test di gravidanza.

Bravi, ha detto Alessio. Bravi, ho detto io.

E poi, piuttosto in fretta, qualcosa si è rotto.

Potrei disegnare l'esattezza della luce delle sei del mattino dei giorni a cavallo tra febbraio e marzo di quell'anno, ero incinta da due mesi, la facciata della chiesa dalla finestra della cucina rifletteva l'ottimismo dei ragazzini dell'oratorio sotto forma di striscioni colorati: «Fidati di Dio, lui ti proteggerà». Sorridevo obliqua e scettica, il disincanto di chi non crede e guarda il misterioso Dio degli altri.

Ricordo il riverbero dei raggi del sole sulle maioliche cobalto della vecchia cucina, il cucchiaino del caffè sempre troppo pieno – non ho ancora imparato a prendere le misure – che si rovescia prima di scivolare nel filtro della macchinetta e l'avambraccio destro che si appoggia sulla ceramica, fredda, del lavandino.

E quella pena lí, qualcosa di prezioso che si spezza. Ero incinta, il mio corpo era abitato. Non sarei mai piú stata sola.

La maternità è arrivata rapidamente a dirmi questo.

La presenza, la responsabilità verso un altro essere umano si sarebbe, da lí a persempre, combinata col mio tempo. E del mio tempo non avrei mai piú avuto possesso né controllo.

L'esperienza del mettere al mondo, espressione che di gran lunga preferisco a dare la vita, mi avrebbe ricondotta sull'orlo del burrone dove soffocavo le urla nelle notti di bambina: il capogiro di chi non può esercitare potere sugli eventi.

La soglia in cui puoi restare o cadere. Resistere o scivolare giú. Comunque vada, non dipende da te. Era cosí la forma della mia gravidanza: il grido di un corpo che non mi apparteneva piú, in un tempo che, anch'esso, non m'apparteneva piú.

La malattia era lí, ha detto il Dottore. Qualcosa, poi, l'ha svegliata.

Forse, chissà, nessuno può dirlo con certezza, la gravidanza. È tipico, dicono. I cambiamenti ormonali, e tutto. Da quando ho ascoltato questa frase invento immagini per rappresentare la sclerosi multipla a riposo e la gravidanza che la sveglia.

Immagino la malattia nell'immediatamente prima di essere svegliata, un tempo che poteva durare per sempre, e invece.

A volte la immagino come una strega arcigna, come le streghe di *Macbeth* che rimestano pozioni fumanti, pronta a pronunciare la profezia che mi condanna: «Il prurito che ho nei pollici mi dice che qualcosa di malvagio si avvicina. Apritevi, o serrature, chiunque sia a bussare».

Cosí io penso la mia strega, destata da un pungolo retto da un bambino, dire: «Mi hai svegliata, sciagurato! Ero qui, incustodita e inoffensiva e hai disturbato il mio sonno antico, lungo secoli! Apriti, serratura, e prego, entra Male-dei-Nervi, che nulla in lei sia piú in grado di comunicare facilmente, la testa coi suoi arti, la testa coi suoi occhi, né pensiero né parola!»

Altre volte la sclerosi multipla prende la forma di una creatura mostruosa, mezza umana e mezza animale squamato, mutante. Riposa sotto la pianta di un'èra lontana e un minuscolo essere, puro, la invita a giocare.

L'esserino non ha paura, si avvicina con il corpo disposto alla sfida e la disturba fino a svegliarla. E lei è lí, apre gli occhi vitrei, il corpo deforme e cannibale.

Deforme come me quand'ero incinta.

Cannibale, come la gravidanza che mi ha mangiata, ha fatto da leva alla malattia, le ha detto «Benvenuta, puoi entrare», l'ha fatta entrare e lei, la malattia – che dormiva un sonno antico – è entrata, con una fame di secoli.

A volte, invece, la immagino bambina che riposa, svegliata da un sogno ricorrente.

E mi dico che magari era quello il significato del burrone, un presagio: la ragazzina della corsa campestre sul dirupo vedeva, nelle venature delle pareti della terra, la geologia della sclerosi multipla.

Era questo a spaventarla. La me bambina era guardiana di un destino che ignorava e che custodiva la malattia, e la me adulta e madre l'ha svegliata e le ha dato udienza. Custodire è l'impegno quotidiano a non sciupare, si vigila e si cura l'indispensabile, non questo parassita che mi vive dentro chissà da quanto.

Perché uso questa parola quando penso alla me bambina sul burrone che assiste e sorveglia la paura, che poi diventa un destino, che poi diventa sclerosi multipla?

Cos'è della malattia che non devo sciupare?

Perché la me adulta e madre l'ha svegliata?

Perché nata madre l'ho svegliata?

Cosa è venuta a dirmi?

Sono le sei e mezza del mattino. Fuori è giorno e io sono salva. Il respiro di Alessio è ancora attorcigliato tra lenzuola e coperte, quelle sul mio lato del letto piegate a formare un triangolo perfetto. L'ipotenusa di chi si alza senza disturbare, di chi soprattutto si alza e non vuole essere seguito.

Pietro ha cominciato a girarsi nel letto, è l'indizio del risveglio. Un risveglio generoso e lento, mi dice: «Preparati, sto arrivando».

Ho bevuto l'intera macchinetta di caffè da tre.

Stanotte ho vinto io. A tavola, per colazione, sarò docile e non ferirò nessuno perché al buio da niente sono stata ferita.

Madre, matrioska

Pietro e la malattia sono arrivati dopo un lungo viaggio con un bagaglio simile.

Da allora mi domando cosa si siano detti nel tempo della mia gravidanza, dove si siano incontrati e cosa li abbia fatti diventare complici, se si siano riconosciuti subito o ci sia stata un'iniziale ostilità, se Pietro abbia tentato di difendere i miei nervi e i miei arti o se le abbia detto, istintivamente, mi somigli, vieni anche tu nella vita di mamma.

La vita di Pietro, che mi rende madre e mi fa nascere nuova, marca un prima e un dopo: non sarò mai piú non-madre.

La malattia che arriva e sta e non guarisce, e vivrà assieme a me nella forma dell'imprevedibilità, marca un prima e un dopo.

Non sarò mai piú non-malata.

Due processi irreversibili.

I miei due unici persempre.

La malattia era lí da tempo, aveva detto il medico, qualcosa l'ha sollecitata.

Aveva bisogno di essere invitata, aggiungo io.

Aveva bisogno di una leva, e quella leva – forse – è stata mio figlio.

Nei mesi immediatamente successivi alla diagnosi ho pensato (e nominato) cose indicibili: se non ci fosse stato Pietro, sarei malata?

Ti saresti svegliata, malattia, se il mio corpo non si fosse trasformato nel contenitore di un'altra vita?

Era il mostro deforme e cannibale che prendeva la forma delle domande che ti dànno la caccia.

E poi, piano piano, ho cominciato a pensare che, insieme, mio figlio e la malattia fossero arrivati a dirmi anche altro. Ho cominciato a pensarlo di notte, mentre aspetto che faccia luce per agire, di nuovo, l'agonistica della maternità, l'allenamento cui mi sottopongo ogni giorno per scaldare i muscoli della famiglia.

E ho cominciato a cercare le tracce di quel messaggio cifrato che non riuscivo ancora a decodificare.

Forse la gravidanza ha svegliato la malattia per far pronunciare alla bambina insonne le parole che non riusciva a dire.

Vedetemi vera.

Le stesse che non riesce a dire la bambina adulta.

Chiedetemi come sto.
Prendetevi cura di me.

Una mattina, passeggiavo con Pietro sui sanpietrini del centro città, vicino a San Luigi dei Francesi, mi ritiro lí talvolta a respirare forte di fronte a Caravaggio.

Nella vetrina di un negozio di varie amenità c'era una matrioska, Pietro non ne aveva mai vista una.

– Cos'è, mamma, quel gioco? – mi ha chiesto.

– Sono bambole che si nascondono e si cercano, insieme, – ho detto io, inventando la storia delle bambole russe che giocano a nascondino e si somigliano un po' ma non abbastanza da essere tutte uguali.

– Sono un po' come le persone, un po' come tutti noi. A volte siamo tristi, a volte arrabbiati, a volte felici. Co-

me te, quando ti porto un regalo, o ti dico che non puoi
guardare i cartoni animati alla tv, o quando salutiamo i
nonni e sai che ti mancheranno finché non li rivedrai. Sei
sempre te, ma un po' diverso ogni volta. Cosí le matrioske.

E mentre camminavamo ho ricordato che nella tradizione russa la matrioska è un cerchio magico, che si apre con
un pezzo piú grande che si chiama madre e si chiude con il
piú piccolo chiamato seme. È simbolo di fertilità e tiene
insieme il principio e la fine, piú immagini simili, identità
che riempiono, occupano insieme, una dentro l'altra, una
sola porzione di spazio.

E mentre pensavo alla madre e al seme, alla matrioska
intera eppure spezzata mi sono detta: è questa cosa qui la
mia vita ora.

Il pezzo piú grande della matrioska è l'orco deforme
e cannibale, si apre a metà e dentro c'è una Francesca, è
incinta, si apre a metà e dentro c'è una donna, forse una
madre, con un figlio, si apre a metà e in fondo c'è la bam-
bolina piú piccola, la piú nascosta, l'unica non spezzata a
metà all'altezza della vita.

Questo sono arrivati a dirmi, Pietro e la malattia, questo era il messaggio cifrato: renditi intera.

Pietro,

stanotte mi ha svegliato un sogno.

Nella mia stanza smucchiata arrivava in visita la me di prima. Nessuno l'aveva invitata. Lei è entrata, conosceva la strada, chiedeva di parlare con la me di adesso.

Le ha girato intorno, l'ha osservata come si osservano le cose familiari per coglierne un dettaglio ancora oscuro.

Poi ha messo le mani sugli occhi alla me di adesso e chiudendole le palpebre ha domandato: «Sei pronta, finalmente?»

La me di adesso ha fatto cenno di sí con la testa.

Poi ha detto: «Accetto che te ne sia andata». Come avevo detto io a nonna Rita, nello scantinato del padiglione dei sudici. E l'ha lasciata andare.

Mi sono alzata, e camminando lungo il corridoio mi pareva di sentire la pressione delle dita sugli occhi. Sono entrata in cucina. Sul tavolo c'erano le bozze del libro.

Ho pensato di scriverti una lettera, un'altra, per spiegarti perché avessi sfidato la vergogna, perché avessi sentito il bisogno di usare nomi imperdonabili per descrivere chi sono io, chi sei tu, cosa siamo insieme ora. E chiederti perdono.

Ma non ce l'ho fatta, Pietro.

Né ce la farò. Potrò solo tentare di darti gli strumenti per attraversare queste pagine. Sostituirmi alle tue spiegazioni, no.

Ho preparato il caffè, non sentivo piú la pressione delle dita della me di prima sulle palpebre. Ma ho chiuso gli occhi lo stesso.

E ho visto te.

Sei alto, hai i capelli biondo cenere. Sono corti e non piú ricci. I ricci li hai persi crescendo, come me. Il marrone degli occhi di bambino è schiarito. La fossetta è sempre lí. Ti accarezzo la pelle che spunta dalla barba, la porti come tuo padre. Sei sempre morbido. Le mani, sempre uguali, dita massicce.

Mi sorridi gentile.

Il tempo non è ora, è tra vent'anni.

Ci sei tu, ci sono io. Scendiamo gli scalini che ci portano allo scoglio, ti dico: «Nuotiamo? Nuoti con mamma?»

Tu non rispondi, sorridi.

Mi prendi per mano, e nuotiamo.

Ringraziamenti.

Questo libro ha avuto intorno tanto silenzio e tanto amore. Per questo desidero ringraziare chi c'è stato e chi ha saputo non esserci. Ché non esserci, talvolta, è piú complicato.

Grazie a Marco Damilano, che ha pensato che la mia storia fosse la storia di tanti e mi ha consegnato lo spazio e la forza per comincia-re a raccontarla sulle pagine de «L'Espresso».

Grazie a Eva Giovannini, che ha ascoltato i pensieri prima che di-ventassero appunti e gli appunti prima che diventassero capitoli, con le finestre aperte di fronte alla magnolia.

A Chiara Valerio che un giorno d'inverno mi ha detto: «A che ser-ve il futuro se non ci salva?»

Ad Annalisa Camilli, che di fronte a una bottiglia di rosso mi ha detto che la scrittura andava sciolta, e aveva ragione.

A Rosella Postorino che ha il dono e la pazienza della critica. E sa la violenza della parola scritta.

A Tiziana Cera Rosco, che sa quello che c'è da sapere sulla lucidità. A lei devo la frase di René Char, come le devo l'attenzione e la cura di un pomeriggio a Milano a dirci la ferocia dell'amore.

Grazie a Giulia Pietrosanti, per un pranzo d'aprile nel parco e le parole sull'identità.

A Benedetta Bodini, che ha avvicinato la scienza alla mia inquie-tudine di paziente, prendendosi cura della mia babele.

A Silvia R. e Michela F., dottoresse, donne, che mi ricordano quanto la cura di ognuno difenda un diritto chiamato Servizio sani-tario nazionale.

A Silvia Barbagallo che mi incoraggia anche quando mi boicotto.

A Simone, Martina, Francesco, Andrea, amici da sempre.

A Manuele Fior che ha letto la bambina correre verso il burrone e l'ha disegnata adulta, davanti allo specchio.

Desidero ringraziare anche i luoghi di questo libro.

Il lago di Piediluco, in Umbria, dove chi mi ama ha saputo lasciarmi sola.

Il mare di Tertenia, in Ogliastra, che odora di ginepro e memoria.

Un attimo di luce alla Galleria nazionale d'arte moderna in cui ho visto la tenacia della parola quando è omessa, e ho capito qualcosa destinato a durare.

La scrivania che affaccia sulle palme e sulle vite degli altri nello studio di via Giordano Bruno, dove scrivere ha la forma dell'attesa.

E casa dei miei genitori, con i suoi demoni e i suoi incanti.

Infine desidero ringraziare mia sorella Martina, giovane donna coraggiosa.

Mia madre, che non ha pianto quando le ho letto i capitoli piú difficili.

Mio padre. Che un giorno, sono certa, capirà.

Alessio, che a ogni risveglio è compagno, amante, conflitto e famiglia.

Pietro, scritto vero.

E Rita. Un giorno vengo a trovarti, nonna, intanto Attenta a te.

Nota al testo.

I versi in epigrafe a p. 3 sono tratti da Marianne Moore, *I May, I Might, I Must* (*Posso, potrei, devo*, in *Le poesie*, a cura di Gilberto Forti e Lina Angioletti, © Marianne Moore, 1935, 1941, 1944, 1949, 1951, 1952, 1953, 1954, © Marianne Moore, 1956, 1957, 1958, 1959, 1960, 1961, 1962, 1963, 1964, 1965, 1966, 1967, 1968, 1969, 1970, 1972, © The Curtis Publishing Company, 1956, 1958, © Lawrence E. Brinn and Louise Crane, Executors of the Estate of Marianne Moore, 1979, 1980, 1981, © Clive E. Driver, Literary Executor of the Estate of Marianne C. Moore, 1981. © 1991 Adelphi Edizioni S. p. A., Milano).

La citazione a p. 7 è tratta da Ludwig Wittgenstein, *Pensieri diversi*, a cura di Georg Henrik von Wright, Michele Ranchetti, © 1977 Suhrkamp Verlag Frankfurt Am Main, © 1980 Adelphi Edizioni S. p. A. Milano.

La citazione a p. 57 è tratta da *Conversazione a Londra con Edna O'Brien*, in Philip Roth, *Chiacchiere di bottega. Uno scrittore, i suoi colleghi e il loro lavoro*, traduzione di Norman Gobetti, Einaudi, Torino 2004.

Le citazioni presenti nel capitolo *I will yes* sono tratte da James Joyce, *Ulysses* (ed. it. *Ulisse*, traduzione di Gianni Celati, Einaudi, Torino 2013).

I versi a p. 93 sono tratti da Mariangela Gualtieri, *Antenata*, Crocetti editore, Milano 2020.

Il verso a p. 95 è tratto dalla canzone *Atlantide*, testo e musica di Francesco De Gregori. Copyright © 1976 by Universal Music Publishing Ricordi Srl. Tutti i diritti riservati per tutti i Paesi. Riprodotto per gentile concessione di Hal Leonard Europe Srl obo Universal Music Publishing Ricordi Srl.

La citazione a p. 114 è tratta da Felice Cimatti, *La fabbrica del ricordo*, il Mulino, Bologna 2020.

La citazione a p. 117 è tratta da Edmond Jabès, *Uno straniero con, sotto il braccio, un libro di piccolo formato*, a cura di Alberto Folin, SE, Milano 2019.

Il titolo del capitolo e la citazione in epigrafe a p. 120 sono tratti da Cesare Pavese, *I ciechi*, in *Dialoghi con Leucò*, Einaudi, Torino 2020.

I versi a p. 121 sono tratti dalla canzone *I ragazzi della Senna*, compositore: Augusto Martelli; autrice: Alessandra Valeri Manera. Edizioni Musicali: RTI S. p. A.

La citazione a p. 133 è tratta da Mariangela Gualtieri, *Caino*, Einaudi, Torino 2011.

I versi a p. 139 sono tratti da Ingeborg Bachmann, *Per Ingmar Bergman, che sa della parete*, in *Non conosco mondo migliore*, traduzione di Silvia Bortoli, Guanda, Parma 2004.

I versi a p. 142 sono tratti da Ingeborg Bachmann, *Nella bufera di rose*, in *Poesie*, traduzione di Maria Teresa Mandalari, Guanda, Parma 2006.

La citazione a p. 143 è tratta da Ingeborg Bachmann, *Libro del deserto*, traduzione di Anna Pensa, Cronopio, Napoli 2002.

Il verso a p. 152 è tratto da Amelia Rosselli, *Variazioni belliche*, in *Le poesie*, Garzanti, Milano 2019.

Il titolo «La lucidità è la ferita piú prossima al sole» a p. 158 è una citazione da René Char, *Fogli d'Ipnos (1943-1944)*, traduzione di Vittorio Sereni, Einaudi, Torino 1968.

La citazione a p. 161 è tratta da Annie Ernaux, *L'altra figlia*, traduzione di Lorenzo Flabbi, L'Orma, Milano 2016.

I versi a p. 162 sono tratti dalla canzone *MAMMA* di B. Cherubini/C.A.Bixio - Edizioni Musicali Bixio C.E.M.S.A.

La citazione a p. 174 è tratta da Hannah Arendt, *La vita della mente*, traduzione di G. Zanetti, il Mulino, Bologna 2009.

I versi a p. 175 sono tratti dalla canzone *The Way We Were*. Words by Alan and Marilyn Bergman. Music by Marvin Hamlisch. Copyright © 1973 by Colgems-EMI Music Inc. All Rights Administered by Sony/ATV Music Publishing LLC. All Rights Reserved. International Copyright Secured. Riprodotto per gentile concessione di Hal Leonard Europe Srl obo Hal Leonard LLC.

La citazione a p. 185 è tratta da Carlo Rovelli, *Helgoland*, © 2020 Adelphi Edizioni S. p. A., Milano.

Il titolo «Riconosco i tagli perché conosco i coltelli» a p. 190 è una citazione da Jolanda Insana, *Turbativa d'incanto*, Garzanti, Milano 2012.

La citazione a p. 195 è tratta da William Shakespeare, *Macbeth*, atto IV, scena 1, traduzione di Paolo Bertinetti, Einaudi, Torino 2016.

Alcuni passaggi dei capitoli *Diario. Dicembre 2016* e *La notte è illuminata di spine* sono apparsi su «Il Figlio», inserto de «Il Foglio» a cura di Annalena Benini.

Indice

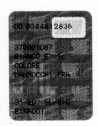

DO 0034481 2836

370001087
BIANCO E' IL
COLORE
MANNOCCHI FRA

3^ ED SL/B1G
EINAUDI

Questo libro è stampato su carta certificata FSC®
e con fibre provenienti da altre fonti controllate.

Stampato per conto della Casa editrice Einaudi
presso ELCOGRAF S.p.A. - Stabilimento di Cles (Tn)

C.L. 24717

Edizione   Anno

3   4   5   6   7   8   9   2021   2022   2023   2024